Erich Bahr

WWW: WEITE WEGE WAGEN

Lyrik und Prosa

AUTORENVERLAG
GERBGRUBEN
KVNB - NLC

Allgemeine Betrachtungen

Alltag

Mit einer tollen Frau /
mit einem tollen Mann
ist es wie
mit dem Stephans-Dom.

Sieht man sie / ihn
dann jeden Tag,
kann selbst
die schönste Kathedrale
zu einem Kirchlein
schrumpfen.

Am Seil

Ein Vogel macht
es sich bequem
auf einer Leitung.
Wie elektrisiert
verkündet er
sein Abendlied.

Asylanten / Migranten

Sie benötigen
Hoffnung und Menschlichkeit.
Später erhalten sie
kaltes Papier,
das sie gar nicht verstehen.
Die Frage ist:
Abreise, Abschiebung oder Asyl.

Der Schirm

Er schützt vor
Sonne, Regen.
Er lenkt selbst
Lampenlicht.
Dank ihm sieht
man oft fern.
Als Radar ortet
er Objekte.
Als Paravent verdeckt
er Wand und Ofen.
Vom Himmel segelt
er zur Erde.
Nun soll er
auch den Euro retten?
Doch Wunder
sind sehr selten.

Ein Lebensmotto

Manche Menschen
leben
nach dem Motto:
„Schwach beginnen
und
stark nachlassen“.

Flausen-Grausen

In vielen Köpfen
manche Flausen hausen.
Den armen Tröpfen
sollte Grausen brausen.

Geblufft

Die Lust war bald verpufft.
Sein Bett ihn ruft.
Jetzt ruht der Schuft
in der Matratzengruft.

Heimat

Oft missbraucht
durch Politik.
Verloren von vielen.
Benötigt von allen.

Immer weiter

Von einem Ort
zum andern
nennt man
reisen, wandern
und so fort ...

Imposanter Irrtum

Jung, schön
und gescheit
blieb sie / er
in Ewigkeit.
Dieser Sicht
entsprach der
Spiegel nicht.

Lesen

Viele Bücher
erscheinen.
Sie werden gekauft,
auch verschenkt.
Aber werden sie
jemals gelesen?
Gereiht
in Regalen
erwarten sie
Lese
wie Trauben.
Verstauben,
vergilben,
verkümmern
wie Blümchen
an Mauern
beim Warten
auf Freier.

Lieber Sparefroh!

Du fehlst mir so.
Die Euro rennen,
als ob sie brennen.

Liebesbeweis

Mein wilder Knut,
ach, sei so nett
und schreib mit Blut
mir ein Sonett!

Obszöne Frau,
ach, schöne Braut!
Was soll die Schau?
Vor ihr mir graut.

Mein lieber Mann,
erfüll die Pflicht
und mach dich ran
an das Gedicht!

Sei kein Vampir!
Die letzte Nacht
schon dient' ich dir
mit ganzer Macht.

Masochistischer Held

Nach zwanzig Jahren Krampf
mit einer Zange
bekam er endlich auch
die Nahkampfspange.

Natur pur

Auf der Heide
begegnete ihm
eine Schäferin,
welche die Flöte
so allerliebst blies.
Ihm vergingen
die Sinne abrupt.

Netzwerker

Sie weben Netze
wie die Spinnen
und fangen meist sich
selber drinnen.

Jeder Freundeskreis
hat seinen Preis.

Not ohne Kot

Vor Jahren
war er
auf den Hund
gekommen.
Nur muss er
ihn nicht hegen
oder pflegen.

Ruhm

Der eine strebt nach Ruhm
und bringt sich dabei um.
Dem andern fliegt er zu,
selbst wenn ihm frommt nur Ruh.

Spam-RAM

Immer mehr werden
Schwätzer und Selbstüberschätzer.
Sie mailen und simsen meist Spam
wie gemeine Besetzer.

Sparpakete

Die armen Griechen
stöhnen unter Schuldenlast.
Sie werden kriechen,
brauchen nicht nur Leukoplast.
Sie werden leiden
wie der alte Sisyphus.
Wir werden scheiden
uns von manchem Obolus.

Trost für Hässliche

Für die Würmer
sind wir alle
viel zu schön.

Variatio delectat

Der eine spricht
in Bildern,
der andre oft
in Rätseln,
der Dritte nur
in Utopien.

Von der Aus- zur Einbildung

Ausbildung,
Fortbildung,
Bildung schlechthin
potenzieren
auch Einbildung.

Vorstellung

Einstmals stellten sich
zwei Männer vor,
unabänderlich
mit viel Humor.

Der eine sagte: „Wurst“
Der andre klagte: „Hunger“
Der eine fragte: „Nicht Unger?“
Der andre zagte: „Nicht Durst?“

Dann gingen sie
gemeinsam essen,
um die Regie
nie zu vergessen.

Zufriedenheit

Der eine sucht
das große Glück.
Dem andren reicht
ein kleines Stück.

Wander-, Bergtouren- und Reiseerinnerungen

Chemins de Fer de la Corse

Einst glich
Elias
einem Drachen.
Dank Diesel
gleicht er nun
dem Wiesel.

Frohe Ostern

Der Osterputz
vertreibt den Schmutz
und bringt Verdrutz.

Drum eilt man fort
zu schönem Hort
und spart beim Wort.

In Kremnica

für Georg

Einst durch Tataren
verwüstet, geschändet
trotz Pfauengeschrei.
Deutsche Bergleute schufen
den Ruhm dieser Stadt,
die Dukaten und Gulden aus Gold,
auch die Münzen des heiligen Georg.

Den Glanz alter Zeiten bezeugen
die Sammlung der Münzen, Medaillen,
die Häuser der Bürger
sowie der Komplex der Burg.

Milý Petře!

Einst lockte uns
die Tatra an.
Wann kommt, mein Freund,
die Fatra dran?
Krkonoše
durchstreiften wir.
Gelingt mir noch
ein Berg mit Dir?

Se srdečným pozdravem,
také Ingrid a Moricovi

Müder Bergsteiger

Einst lockten ihn
die Anden.
Auch die Alpen,
Tatra, Krkonoše
durchstreifte er.
Nun zieht der Herbst
ins Land.
Naht bald der Winter?

NÖ. Landesausstellung 2009

Die attraktive Schau
in Horn, in Raabs und Telč
besuchten viele Menschen.

Doch manche blieben fern,
weil Grenzen immer noch
vernebeln arme Köpfe.

NÖ. Landesausstellung 2011

In neuem Glanz erstrahlt
die alte Welt der Römer.
Die Anzahl der Objekte
wurde deutlich größer,
als vor Jahren ich sie sah.
Im Flug vergehen Stunden
für die Schau der Vielfalt.

Pilgerpein

Am Bauch liegt ein Pilger in Auch,
da offene Füße sehr schmerzen.
Doch leider erklingt es wie ‚oosch',
selbst wenn es nicht kommt ihm vom Herzen.
So fühlt er die Hölle wie Bosch.
Auch liegt ihm die Gans schwer im Magen,
weshalb er an Heimreise denkt.
Nur ändert sich nichts an den Lagen,
weil ihm dies Gesundung nicht schenkt.

Stoßgebet

Heiliger Jakob hilf!
Eine lästige Schwester
verfolgt mich durch Stroh und Schilf.
Erspar' mir das Orchester!
Heiliger Jakob hilf!

Via Tolosana im August

Wie schwerer Hammer
quält die Hitze.
In strenger Kammer
schmort der Pilger.
Die Füße glühen.
Die Blasen blühen.
Er fühlt den Pfad
als via dolorosa.
Vom Durst befreit
ihn aqua apagosa.

Weite Wege

Auf dem Jakobsweg
bat mich
ein jüngerer Mann
um Verständnis.
Ich half ihm
mit Wasser und Brot.
Von Bordeaux
nach Jerusalem
wollte er gehen.

Literaten und andere Künstler

in memoriam Ernst Jandl
und Robert Gernhardt

majas lamm

maja wacht lang
majas schaf lammt glatt
maja: brav schaf brav
schaf strahlt sanft

majas lamm zagt
majas lamm tappt
majas lamm schwankt
maja schwant gram
majas lamm lahmt
maja: sakra
arm lamm arm

kais maid

maid: thai raint thais
kai: thai maischt thais
maid: kai zain haikai
kai: mai zaint haikai
maid: kai laich haikai
kai: hai laicht haikai
      haikai maischt kai – hai

pauls traumfrau

paul: brauch frau
saul: hausfrau auch
paul: auch braut auch hausfrau
saul: schau schau
paul: bau haus
saul staunt: traumfrau tauch auf
paul braust auf: traumfrau kaum

saul lauscht
paul plauscht: frau laut brautschau
haupt grau
auch kraus
aug blau
hauch rau
kaum schnauz
bau flau
bauch mau
haut braun
maulfaul
auch taub
raunzt kaum
saugt staub
schmaust lauch
sauft tau
braucht kaum maus
saul graut: au au paul
traum faul
raus aus rausch
frau schlau
saugt paul aus

bärbls bär

bärbls bär schläft
längst währt märz
bärbl lärmt
bärbls bär gähnt jäh

bärbl drängt: träg bär träg
bärbls bär späht
bär schlägt bärbl
bärbl kämpft kläfft
bär kätscht bärbl
bär: ätsch ätsch

fäustls bräu

däuml
träumt
täuscht
säuft fäustls bräu

säuml
äugt
räumt fäustls bräu
säumt
läuft

fäustl
schäumt
dräut
bläut
däuml
säuml

häu
zäumt
zäunt
däuml
säuml
fäustl

xerxes' esel

xerxes' esel steht
xerxes: geh esel geh
        ned pennen
xerxes' esel rennt
xerxes: herst ned
        gehen bleder esel gehen
xerxes' esel steht denkend
xerxes: geh esel geh
        wennst rennst
        setzt es plesch

esel erregt: plesch
             ne sexrex ne
xerxes' esel schlendert
xerxes: schneller esel schneller
esel: xerxes elender geselle
xerxes belfert vergebens
esel: xerxes plemplem
xerxes zetert wegen des frechen esels
esel: xerxes perplex
    hehehe

heins leid

hein weilt beim scheich
hein preist: dein heim gleißt
scheich: neid reist weit
hein reimt: ein scheich bleibt reich
scheich: dein reim gleicht schleim
hein weich: sein pfeil schreibt heil
scheich: dein seim bleicht leim
hein dreist: sein weih kreist leicht
scheich: weisheit weicht streit
hein schleicht feig heim
freiheit reicht

freuds freund

freuds freund heult
freud: freund streunt neu
freund: keusch keucht freund
freud: freund reut scheu
freund: freud deucht zeus
freud: spreu scheucht freud
freund: freud beugt leu
freud: freund streut heu
freund: freut euch freud
          heut scheut kreuz

lilis iltis

lilis iltis trinkt pils
lili: friss iltis friss
lilis iltis: krill lili krill
lili: risipisi iltis risipisi
lilis iltis ist still
lili: hihihi

lili bringt risipisi
lilis iltis frisst nicht
lili: risipisi ist in
lilis iltis: ich will fisch
                ich will krill
lili: risipisi ist pflicht
lilis iltis schlingt risipisi
lili: richtig iltis richtig
lilis iltis bricht
lili: nicht iltis nicht
lilis iltis spritzt gift
lili: iltis stinkt
        igittigitt

liesls brief

stien liest brief
niels: schrieb liesl viel
stien: schier viel
niels: lies
stien: liesl liebt schmied
niels: liesl liebt spiel
        liebt sieg
stien: schmied schrieb lied
        liesl pries dies
niels: wie lieb
stien: dieb „lieh“ liesl vieh
niels: wie mies
stien: liesl rief schmied
        schmied hieb dieb
niels: schrie dieb
stien: dieb schrie wie tier
        spieb bier
niels: fies fies

rolfs ross

rolfs ross bockt vorm hoftor
rolf: los ross los
ross: hol stroh boss
        hol korn
rolf: kommt sofort
ross: wovon roch trog
rolf lockt: roch wohl vom korn
ross folgt rolf sorglos

rolf stopft trog voll stroh
ross hofft: kommt noch korn
rolf schockt: hoho
                    korn dorrt
                    dorf droht not

ödöns töfftöff

ödön töfftöfft köln – tölz
jörg: töfftöff stöhnt
ödön: jörg hört föhn
jörg: nö nö
        töfftöff dröhnt
ödön: töfftöff tönt schön
jörg: töfftöff spröd
ödön: jörg schnöd
jörg schwört: töfftöff stöhnt
                      öl ödön öl
ödön: jörg stört

töfftöff röhrt
jörg: töfftöff dörrt
ödön: jörg höhnt
jörg: töfftöff schröpft ödön

ödön ölt töfftöff
töfftöff pönt ödön
jörg: töfftöff dörrt

lulus kuh

lulu sucht hut und schmuck
lulus kuh muht
lulu: nur ruh kuh
        muss zum kulturklub
        zu kurt und ruth
kuh: muh muh muh
lulu: ruh kuh ruh
kuh: knurr nur
        lulus prunk schmus
lulu: buhlst um lulus gunst kuh
kuh: humbug lulu humbug
lulu: puh
        fund tut gut
kuh: husch husch lulu
lulu: nun muh nur zu
kuh stupst lulu und muht kurz

ülküs bülbül

ülkü brüht frühstück
ülkü: frühstück bülbül frühstück
        püt püt
ülkü füllt bülbüls pütz
ülkü: hü bülbül hü
bülbül prüft frühstück
schüppt schlürft lütt
ülkü: süß bülbül süß
bülbül würgt: süß trügt
                    bülbül fühlt müll
ülkü: frühstück mürb nüt müll
bülbül rügt kühn: frühstück drückt
                         bülbül büßt
ülkü küsst bülbül
bülbül: ürgüp schützt bülbül
            tschüs ülkü tschüs

brett und wasser

für Manfred Chobot

lieber am brett
mit der woge
darunter
als
nur eine latte
vorm kopf
und
das wasser schon
bis zu den lippen

D'Artagnan

Unterhalb der Kathedrale in Auch
steht Dumas' großer Held
in Erinnerung an harte Zeiten.
Als ob er bald Aramis,
Porthos und Athos erwartete.
Nachsichtig nimmt er die Fotos
der Fremden zur Kenntnis.

Das Nibelungenlied

für Justus

Nach sechsundvierzig Jahren
sah ich meinen Kameraden
aus dem Internat erneut.

Elysium, sein Zirkus,
ist das Paradies für viele,
wenn das schöne Spiel beginnt.

Der große Clown erzählte,
spielte dieses Epos solo
zum Genuss des Publikums.

Wie aus dem Nichts erschien auch
dank Magie der Phantasien
frisch der Nibelungen Werk.

Am Ende imitierte
er sogar des starken Drachen
Feuerspeien und auch Flug.

Zu Recht bewundern Menschen
Justus Neumanns reiches Schaffen,
das zum ersten Mal ich sah.

Das Rosenkranz-Triptychon

Ernst Fuchs,
der große Meister,
schafft viele Werke.

Wie Lux
sieht er die Geister
und deren Stärke.

Sein Triptychon
zum Rosenkranz
erwarb ich schon.

Als Marken kann
ich es mir leisten.
Bestaune dann
es wie die meisten.

Geschenke

für Josef Hrubý

Nur lieben Menschen
sollte man Verse
schreiben wie die *benn*schen.
Doch gleiche ich nicht Benn,
selbst wenn ich schreibe
und durch Welten renn'.

Hermann Nitsch-Museum

Manche/r sagt sehr ehrlich:
Kunst von Nitsch
erscheint entbehrlich.

Hin und her

Preise
Lesereise
dachte
Dichter Schlichter
denn sie
bringt Poeten
Wechsel
der Tapeten
oft Applaus
auch manches laus
sogar Moneten

In der Schreib- und Literaturwerkstatt

für Marlen Schachinger und Silvia Waltl

Eine müde graue Maus
soll jede Woche bauen
ein Gedanken-/Wortehaus.
Gar flink assoziieren,
montieren, transferieren,
Figuren/Gespräche inszenieren,
behänd perspektivieren,
Metaphern auch kreieren,
poetisch-sanft agieren.

Eh' ihr Text gerinnt
zu fahlem Käse,
geht sie lieber heim
zur Spätauslese.
Schreibt in ihrem Stil,
wann, wie, was sie will.
Wünscht der Literatenschar
Erfolg in jedem Jahr.

Lieber Thomas!

Es dauert oft sehr lang,
bis man ist etabliert.
So ist des Lebens Gang.
Wer dies nicht akzeptiert,
der leidet und wird krank.

Doch bald ruft Payerbach
für Intellekt und Scherz.
Bedenke ich Dein Fach,
frohlockt mein altes Herz.
Das Leben sagt gern „Schach!“.

Gruß und 'Kuss’
Julius

Mittellos

Bar Moneten
sind Poeten
arm wie
Kirchenmäuse.
Wie die Läuse
zwickt sie
dieser Mangel
trotz Gerangel.

Schlafmittel

Texte von Franz Schuh
drücken mir im Nu
die Augen zu.

Spielereien 2

Oft spielt
die Sprache
mit mir.
Ab und zu
spiele ich
auch mit ihr.

Welttheater / Theaterwelt

Die schnöde Welt ist Bühne.
Man zwingt uns oft zu Rollen,
die wir nicht spielen wollen.
Ist Leben nur noch Pflicht und Sühne?

Politik und Recht

Am Parteitag

Sie blasen
kräftig in das Horn
und nehmen
Gegner auf das Korn.

Am Minus
sind die andern schuld.
Erfolg braucht
Geist, Tat und Geduld.

Sie schärfen
lange ihr Profil.
Doch ändert
sich danach nicht viel.

Auf und ab

Unverdrossen
glauben
die Genossen
stets an Marx.
Denn er bleibt
ihr Kapital
und Trost
in jedem Fall.

EU

- ein bodenloses Fass
macht alle nass?

EU(ro)-Wohlfühlgesellschaft

Bei vielen
brennt schon
lang der Hut.
Wichtig ist,
es geht
der Wirtschaft gut.

Wenn der Hut
brennt lichterloh,
leg' ihn ab
und lebe froh.

Hast du selbst
keinen Hut,
brennst du doch
lang und gut.

Immer gleicher

Alles wird
zu Menschenrecht.
Trotzdem bleibt
auch jede/r Knecht.
Denn gleich und bleich
sind wir doch nur
im Totenreich.

Verdrossen

Manche/r ist so frei
und pfeift
auf die Partei.

Der Größenwahn
fällt viele an.

Versphinxt noch mal!

Es denkt die Sphinx
nie rechts, nie links.
Ganz ohne Macht
wird sie verlacht.

Verstimmt

Sarko, der rasende Ritter,
benötigt oft Magenbitter.
Weil die Gegner selten wollen,
was sie denken, machen sollen.

Wien ist anders?

Selbst wenn
die Nelken
deutlich welken,
geht das Treiben
munter weiter.
Auch die Veilchen
blühen nicht
das ganze Jahr.
Der Enzian
wächst nicht
zum Sternenzelt.
Nur schwarz
sieht manche/r,
fern und nah.
Doch Efeu
grünt beharrlich.

Kein Scherz ohne Ernst

Arme Arbeiter

Ritter Adalbert
setzte sich verkehrt
auf sein schönes Pferd.
Dachte unbeschwert:
„Ich bleib' unversehrt.
Aber umgekehrt,
sich die Arbeit mehrt“.
Nachbar Engelbert
pfiff ein Pfeifkonzert,
weil er sehr verehrt,
was die Arbeit lehrt.
Sann so Adalbert:
„Bin ich ausgezehrt,
niemand mich begehrt.
Ihm bleibt unverwehrt,
dass er schwingt sein Schwert“.

Grundlos?

Vordergründig
ist er
reiner Tor,
hintergründig
sein Humor,
tiefgründig
oft sein Flor.

Immer ein AAA-Land

o
mama
am sand
samma ...

Lieber Heinrich!

Du willst mein Bestes nur.
Mir fehlt kein Doktorat.
Ich liebe die Natur.
Mir ist auch so nicht fad.

Mein Leben dient schon lang
der ganzen Wissenschaft.
So mancher Bildungsgang
half mir zu Schaffenskraft.
Ich denk', mir steht nicht gut
auf meine alten Tag'
auch noch ein Doktorhut.
Was soll die lange Plag'
mit Theorienstreit
zu monotonem Stoff?
Was bringt die Eitelkeit?
Ich brauche keinen Zoff.
So quält kein Plagiat
das Kuratorium.
Ein kluger Kandidat
wehrt ab Panoptikum.

Es wäre bloß zum Schein
auf der Visiten-Card.
Selbst für mein Bett aus Stein
ist die Tortur zu hart.

Gruß und 'Kuss'
Julius

Listiger Ludwig

Lehrer
Ludwig
Lustig
lernt
leidenschaftlich
lebensnahe
Legistik,
Linguistik,
Logistik,
Lusitanistik.

Transformation

Gefallen ist
so mancher Engel.
Das Leben ließ
ihn werden Bengel.

Anagramm- und Palindromhaftes

Manchmal ist Frau BORG GROB zu ihren Kindern.

Als BUB aß ODO nie Spinat.

Vor kurzem FLOG ein Auto des Typs GOLF über eine Böschung.

Kann ein FROSCH auch SCHORF haben? Ist diese Frage FORSCH?

Färbt sich LAUB auch BLAU?

Die Herren GUZ und ZARG fuhren mit dem ZUG nach GRAZ.

Trinkt ein IBO auch OBI?

NEGIER keinen REIGEN! GENIER dich nicht!

Das Waschmittel OMO wurde durch Ariel ersetzt.

REIH dich HIER ein!

Franz RETIER ist auch REITER.

Nicht jeder RETTER erhält für seine TAT einen Orden.

ROT – TOR – RTO – OTR – TRO – ORT.

„SAG GAS!“, forderte die Mutter von ihrem Kind.

Jede ZIER hat auch ihren REIZ.

Lieber RUDI IDUR!

Herzlichen Dank für Ihren Brief, in dem Sie ANNA und mir zum Verlust von IDA kondolierten und uns über die TAT von ADI informierten. MIT TIM, der jetzt bei uns lebt und noch immer intensive Therapie benötigt, geht es langsam besser. Oft redet TIM MIT uns über das traumatische Erlebnis. Allerdings lehnt er jeden Kontakt zu ADI ab. Dieser glaubt, IDA sei nicht TOT und habe die schwere Kopfverletzung gut überstanden.

LAUT Dr. TUAL, der ADI in der Anstalt betreut, hängt dieser Eindruck mit einer Patientin namens ISER RESI zusammen. Diese sieht unserer verstorbenen IDA sehr ähnlich, lehnt aber ADI wegen dessen Hautfarbe ab. Zwecks Vermeidung eines weiteren tragischen Konfliktes werden alle Kontakte von ADI zu RESI ISER unterbunden. ADI ist sehr deprimiert, weil er „IDA“ nur auf einem Photo, das er ständig bei sich trägt, sehen kann.

ADI, der ab und zu auch nach Ihnen fragt, würde sich über Ihren Besuch vermutlich sehr freuen. Wir wären Ihnen dafür sehr dankbar.

Herzliche Grüße, auch von ANNA

Ihre traurige Eva

Schräger Jäger

Jäger Zleger
jagt gern Säger.
Dieser Feger
säuft Steinhäger,
der im Zeger
steckt und träger
macht als leger.
Hört der Jäger
Lärmerreger,
schießt er schräger.
Trifft den Heger,
der nun träger
ist als reger
Schürzenjäger.
Denkt sich Zleger:
„Bettvorlä(/e)ger
wird der Heger.
Mit dem Kläger
wär' ich neger.“
Und die Säger
schnattern reger.

Schriller Miller

Martha Miller
schwärmt für Schiller
und auch Thriller.
Macho Miller
hasst Getriller,
schickt ihr Killer.
Martha Miller
ist bald stiller.
Fahnder Filler
denkt, was will er?
Knackt Herrn Miller,
weil der schriller
pfeift auf Thriller.

Sprüche

Manches Jahr verfärbt das Haar.

Lieber Holz in als nur vor der Hütte.

Wer hat schon Lust auf Frust?

Mancher Dichter wird immer schlichter.

Mancher Reimer ist ein Schleimer.

Manchen Fußballsturm benagt der Wurm.

Ohne Rad wär' manchem fad.

Mit politischen Parteien ist es nett wie mit den Haien.

Widerspruch bringt Stallgeruch.

Nicht jeder Gangster ist ein Bankster.

One Göd ka Musi und scho goa ka Gschbusi.

Ein Limerick braucht viel Geschick.

An trüben Gedanken gar viele erkranken.

Auch Kätzchen machen Mätzchen.

Fühlen sich im „Hühnerparadies" die Hühner mies?

Mit Zahnruinen kämpfen nicht nur Beduinen.

Auch bei einem schönen Drachen hat ein Mann nicht viel zu lachen.

Den Keppelzahn man ziehen muss, sonst bringt das Leben nur Verdruss.

Mancher mag nicht dienen, auch nicht den Bienen.

Manches Bimbamerl hört Herr Schwammerl.

Wer nicht mindestens ist Baron, dem bleibt wohl nur der Häusl-Thron.

Voller Rätsel ist das Leben bis zum Ende.

Vážená paní Alico!

Der/Die eine atmet Rosenduft,
der/die andre nur gesiebte Luft.
Damit ich atmen, riechen kann,
kommt meine krumme Nase dran.
Der Höhlen Zugang ist verstopft.
Die Sinusitis schmerzhaft klopft.
Bald locken wieder Uni, Sport
und mancher neue Text und Ort.

Se srdečným pozdravem
Váš pokusný králík

Vážená paní profesorko! 2

Manch armes Knie
muss dienen,
selbst wenn es sticht
wie Bienen.
Bergauf-Bergab
hält es auf Trab.

Will ich Tschechisch
wieder bald genießen,
drückt mich jetzt schon
täglich mein Gewissen.

Se srdečným pozdravem, také
studentkám a studentům

Kafka und Ovid mögen mir verzeihen!

Verwandlung 2

Gleich manchen Tieren
auf allen Vieren
nach ein paar Bieren.

Verwandlung 3

Gymnastik ist
ein harter Fall.
Sie braucht viel List,
bleibt man am Ball.
Wo einstmals war
ein Waschbrettbauch,
hängt nun nur noch
ein schlaffer Schlauch.
So manche/r nimmt
drum Pulver ein
und fühlt sich dann
auch nicht ganz fein.
Ist *Fit mach' mit*
bereits ein Hit?

Verwandlung 4

Er lebt im Haus,
bar Laren, ganz allein.
Zahlt er zurück,
wird es in Jahren sein.

Es fehlt daher
ihm eine zweite Nummer.
Nur ab und zu
befällt ihn Nervenkummer.

Von Zeit zu Zeit
gleicht er dem Stachelschwein.
Doch lebt er gern
und hört in sich hinein.

Dann schließt er sich
im Schneckenhäuschen ein
und träumt erstaunt
von Kur zum Anderssein.

Verwandlung 5

Von zart zu hart,
von fein bis Schwein
wächst uns der Bart,
dreht sich das Sein.

Weiter heiter

Manche Docker
brauchen immer
Schocker.
Manche Rocker
nehmen alles
locker.
Manche Zocker
fallen oft vom
Hocker.

Heiter weiter

Mancher nimmt Verkehr
nur allzu wörtlich.
In der U-Bahn
geil und örtlich.

Willkommen im Chaos

Ein Schlingel
will nicht schlichten
im Trüben
seine Schichten.
Er denkt: „Mich
quälen Pflichten,
die muss ich
rasch verrichten“.
Er träumt vom
Reiche Maos
und Aufbruch:
„Weg, nach Laos!“
Nur gibt es
dort auch Chaos.

Erzählungen

Als Jesús erschien

Über den Jakobsweg und seine Pilger gibt es viele Erzählungen, Berichte und sonstige Publikationen in den verschiedensten Medien. Auch Menschen, die sich wie Shirley Mc Laine, Cees Nooteboom oder Hape Kerkeling für besonders prominent halten, nützten ihn schon zur Steigerung ihres Bekanntheitsgrades als Autor/in. Aber die meisten Pilgerinnen und Pilger genießen die Erfahrungen von Freuden und Leiden auf ihrem Jakobsweg, ohne die Daheimgebliebenen und die Gehfaulen mit einem weiteren Reisebericht in Buchform zu beglücken.

Auch Carlito, mein Jakobsbruder, und ich hatten uns für diese Strapazen entschlossen. Zu verlockend waren die faszinierenden landschaftlichen und kulturhistorischen Dokumentationen darüber im Fernsehen gewesen. Im September 2000 waren wir – wie bereits viele andere vor uns – von St. Jean-Pied-de-Port in Frankreich aufgebrochen. Bereits am ersten Tag unserer Pilger- und Kulturfahrt hatte ich mir während des Abstiegs von den Pyrenäen in Richtung Roncesvalles mein rechtes Knie, das sportbedingt schon vorgeschädigt war, wieder lädiert. Nach elf Tagesetappen und etwa 280 Kilometern musste ich mein Abenteuer in Burgos, das auch an den spanischen Nationalhelden El Cid erinnert, abbrechen und die Heimreise via Austrian Airlines nach Wien antreten. Zu belastend war die schmerzhafte Knieschwellung geworden. Dank einiger Injektionen meines kummergewohnten Orthopäden blieb mir bis auf weiteres eine Operation erspart.

Carlito war nach unserer Trennung noch allein bis León

gewandert und dann mit dem Zug nach Santiago de Compostela gefahren. Denn dorthin hatte er Teile der Bekleidung, darunter einen wärmenden Pullover, postlagernd geschickt, um das Gewicht seines Rucksacks zu reduzieren. Der schwere Rucksack hatte den Jakobsweg bald zur *via dolorosa* werden lassen. Nach der Stille und Ruhe der endlosen Weite hatte er aber den Trubel in dieser Stadt nicht ertragen und daher noch eine dreitägige Wanderung nach Finisterre, dem mittelalterlichen 'Ende der Welt', und einige Erholungstage angehängt. Danach war er ebenfalls nach Wien zurückgeflogen.

Während eines Gesprächs über seine Erlebnisse einigten wir uns auf eine Fortsetzung unserer Pilgerfahrt im September 2001. Doch ab der Karwoche 2001 setzte mich ein Bandscheibenvorfall für rund drei Monate völlig außer Gefecht. Erst nach Beendigung der schmerzhaften Therapie und Regeneration konnte ich überhaupt an die Einlösung meines Versprechens denken.

Schließlich legten wir uns auf ein mögliches Zusammentreffen am 12. oder 13. September 2001 vor der Kathedrale in León fest. Sollte mir eine Fortsetzung meines Jakobsweges von Burgos bis León gelingen, würde ich Carlito dort erwarten. Andernfalls würde er den Weg nach Santiago allein fortsetzen. Aber selbst in diesem Fall wäre er wohl nicht einsam gewesen, da im Herbst erfahrungsgemäß viele Menschen auf dieser Route unterwegs sind. Wider Erwarten gelang mir im Zeitraum 5. bis 12. September 2001 der Fußmarsch von Burgos bis León trotz eines Rucksacks und eines täglich anderen Bettes fast ohne Kreuzschmerzen.

Die Freude des Wiedersehens mit Carlito trübte lediglich eine starke Verkühlung. Deren Beschwerden bekämpfte ich mit Antibiotika. Dank meiner Wanderstöcke schleppte ich mich einige Tage zu den jeweiligen Etappenzielen wie Hospital de Orbigo, Astorga, El Acebo, Ponferrada und Villafranca del Bierzo. In dieser letztgenannten Kleinstadt konnten schon im Mittelalter Schwerkranke ersatzweise den Sündenablass erhalten. Dank der vielen Spenden verfügt dieses Städtchen über einige beeindruckende Ordenskirchen, aber auch über einen großen Friedhof. Wir waren zwar von den bisherigen Strapazen schon etwas gezeichnet, aber für sterbenskrank konnten wir uns ehrlicherweise nicht erklären. Deshalb wollten wir bis Santiago durchhalten. Da sich Carlito müde und verkühlt fühlte – dafür gab er mir die Schuld –, vereinbarten wir für den Aufstieg zum Cebreiro am nächsten Tag individuelles Gehtempo. Ich würde dafür im örtlichen Refugio versuchen, auch für ihn ein Bett zu reservieren.

Laut meinem Tagebuch marschierte ich am 18.9.2001 um 7 Uhr 55 bei sonnigem Wetter los. Bei mäßiger Steigung nach Ambasmestas erreichte ich Vega de Valcarce um 10 Uhr 25. Nach kurzer Rast in einer Bar ging ich entlang der Straße nach Ruitelán und Las Herrerías. Ab dort folgte eine starke Steigung bis O Cebreiro, wo ich gegen 13 Uhr 45 nach einer Gehleistung von etwa 27 Kilometern und rund 800 Höhenmetern einlangte. Der Ort, der auf etwa 1300 m liegt, gehört bereits zur Provinz Galicien. Hier wehte trotz Sonnenscheins ein kühles Lüftchen. Mein Versuch, auch für Carlito einen Platz in einem Stockbett zu belegen, scheiterte und trug mir einen strengen Verweis des Verwalters der Schlafplätze ein.

Gegen 17 Uhr kam auch Carlito, gestützt auf seine

Wanderstücke, endlich an. Er wirkte völlig ausgepumpt und todmüde. In der rechten Hand hielt er auch ein Plastiksackerl. Auf meine Frage nach seinem Rucksack antwortete er: „Den trägt Jesus für mich.“ O Gott, dachte ich, hatte mein Jakobsbruder den Rucksack vergessen, litt er vielleicht gar unter Visionen, Fieberphantasien oder unter einem Sonnenstich infolge der Anstrengung? Dann fiel mir ein, er könnte *Chesús* gemeint, aber infolge seiner spärlichen Spanischkenntnisse nicht richtig ausgesprochen haben. *Jesús* bedeutet nicht nur Jesus und Gott, sondern ist auch ein nicht seltener spanischer Männervorname.

Natürlich war ich ziemlich besorgt. Neugierig sagte ich: „Bitte, Carlito, erzähle mir genau, wie das mit Jesus war!“

„Nach dem Frühstück, so gegen 9 Uhr bin ich von Villafranca del Bierzo aufgebrochen. Anfangs überholten mich einige Menschen, aber dann war ich allein. Infolge meiner Verkühlung ging ich sehr langsam und dachte auch an die Schwerkranken, die während des Mittelalters in dem Städtchen zurückbleiben durften. Ich wanderte entlang der Straße und kam durch einige kleine Ortschaften. An deren Namen kann ich mich nicht mehr erinnern. Dann war plötzlich, wie aus dem Nichts aufgetaucht, ein jüngerer Mann neben mir. Er grüßte mit 'Buenos días, señor', und ich dankte ihm ebenfalls mit 'Buenos días, señor'. Im gleichen Tempo gingen wir weiter.“

„Habt ihr nicht miteinander gesprochen?“, fragte ich forschend.

„Doch, doch“, erwiderte Carlito. „Wir redeten über den Jakobsweg und unsere bisherigen Erfahrungen damit. Die Unterhaltung erfolgte in einer Mischung aus Englisch und Spanisch. Ich spreche ja leider kaum Spanisch, und er beherrscht Englisch nur schlecht. Na ja, du weißt schon. Es war der übliche Sprachkauderwelsch auf dem Jakobsweg. Aber irgendwie fühlte ich mich seit seinem plötzlichen Auftauchen besser. Auch das Gehen fiel mir sonderbarerweise leichter. Ich kann mir das selbst nicht ganz erklären."

„Wahrscheinlich lenkte dich die Unterhaltung mit ihm von den Mühen des Gehens ab", warf ich ein.

„Vermutlich schon. Aber es war nicht nur das. Während einer längeren Mittagspause teilte er auch Brot und Wein mit mir. Und er heißt sogar Jesus", setzte Carlito fort.

Na servas, dachte ich, jetzt wird es sogar noch biblisch! „Hat er vielleicht auch Wasser in Wein verwandelt?", fragte ich ungläubig.

„Nein, du Spötter", sagte Carlito und sah mich missbilligend an. „Anstelle eines Rucksacks trug er nur ein Plastiksackerl mit sich. Daraus zog er eine Stange Weißbrot und eine Flasche mit Wein hervor. Er brach das Brot und schenkte mir eine Hälfte davon. Auch den Wein teilte er brüderlich mit mir. Beides schmeckte herrlich, und ich fühlte mich danach wunderbar erfrischt. Nach der Pause setzten wir unseren Marsch fort. Da der Weg steiler wurde, musste ich langsamer gehen. Als Jesus das bemerkte, half er mir erneut. Das war etwa an der Grenze zu Galicien. Er trug dann meinen Rucksack und ich dafür sein Plastiksackerl. Er ging weiter und wurde trotz der Last schneller. Bei einer Wegbiegung sah ich ihn zum letzten Mal. Als ich dort ankam, war er verschwunden und ich wieder mutterseelenallein."

„Hast du nicht nach ihm gerufen?" fragte ich.

„Nein", antwortete mein Jakobsbruder. „Zuerst dachte ich mir nichts dabei. Dann aber quälten mich starke Zweifel, da plötzlich alle meine Sachen weg waren. Deshalb schaute ich in Jesus' Sackerl, fand aber nur Zahnputzzeug, Seife, Handtuch und Unterwäsche, teilweise auch schmutzig."

„Na hoffentlich bis du nicht einem Schwindler aufgesessen", wandte ich entsetzt ein. „Schon im Mittelalter trieben falsche Bettler und andere gefährliche Spitzbuben ihr Unwesen auf dem Jakobsweg."

Tatsächlich aber fanden wir Jesús, einen etwa dreißigjährigen Spanier, im Refugio. Auch Carlitos Rucksack war unversehrt da. Nun verfügte er wieder wieder über Geld, Bankomat- und Visa-Card, Reisepass, Fotoapparat und über den Pilgerpass mit den vielen schönen Stampiglien ab St. Jean-Pied-de-Port. Erleichtert und mit Dank übergab Carlito seinem Retter dessen Plastiksackerl. Carlito und ich waren sehr beschämt, da wir beide an Jesús' Redlichkeit gezweifelt hatten. Aber einen zweiten Rucksack hätte ich wegen meiner lädierten Wirbelsäule niemals tragen können. Auch für Carlito fand sich noch ein Schlafplatz.

Nach der Körperpflege begaben wir uns in die örtliche Bar, um bei Bier auf das Abendessen zu warten. Alle Tische des geräumigen Lokals waren bald besetzt. Offensichtlich hatten auch andere Pilger Hunger und Durst. Manche unterhielten sich, andere lasen oder schrieben Ansichtskarten und Berichte für ihr Tagebuch.

Ich glich mein Flüssigkeitsdefizit mit Bier aus. Dabei wurde mir San Miguel, eine spanische Biersorte, zum liebsten Heiligen. Carlito war sehr müde und hungrig. Überdies wollte er bald zu Bett gehen. Den Verzehr von *Tapas*, kleinen, pikanten Appetithäppchen, lehnte er ab. Mein Jakobsbruder wurde zunehmend ungeduldig und gereizt, fast wie ein Kleinkind mit nassen Windeln. Plötzlich stand er auf, ergriff mit beiden Händen die beim

Lokaleingang aufgestellte Speisetafel samt Preisen und ging damit zur Theke. Er wollte auf diese Weise seine Bestellung anzeigen, um endlich ein Abendessen, das in spanischen Lokalen selten vor 20 Uhr serviert wird, zu erhalten. Auf mich wirkte Carlito mit der Tafel wie ein Nummerngirl, das in einem Boxring die nächste Runde ankündigen will. Leider war er kein hübsches Mädchen, und sein Bemühen blieb ohne den erhofften Erfolg. Er wurde von der jungen Galicierin, die bediente und sich zwischendurch aber seelenruhig mit einem Einheimischen angeregt unterhielt, nicht einmal ignoriert. Mich reizte die Situationskomik zum Lachen, obwohl mir nichts Gutes schwante. Die Bestrafung für Carlitos – aus Sicht der Spanier – ungehöriges Benehmen folgte auf dem Fuße. Die Essensbestellung wurde erst nach 20 Uhr, an unserem Tisch sogar als letzte, aufgenommen.

Das Abendessen schmeckte herrlich. Dafür wurde die Übernachtung, die zu einer wahren Orgie von Schnarchern, Röchlern und Furzern – Fanfarenstöße führten zu Getöse – ausartete, für Carlito und mich fast zu einem Wachkoma. Wenn einige aussetzten, fingen andere mit ihrem 'Konzert' an. Das Schlafdefizit konnten wir am nächsten Tag erst in einem Hostal in Triacastela ausgleichen. Dort fielen wir todmüde in unsere Betten.

Ab Sarria trennten sich Carlitos und meine Wege bis Santiago de Compostela. Ich musste schneller gehen, um starke Kreuzschmerzen zu vermeiden. Carlito nannte mich deshalb gelegentlich 'Speedy Gonzales'. Andere Pilger bedachten mich mit dem schmückenden Namen 'der Kilometerfresser'.

Wer den Wahrheitsgehalt dieser Erzählung bezweifelt,

sollte die Tagebücher zu meinen drei Jakobswegen, als Annexe meiner Diplomarbeit dokumentiert, lesen. Viel Spaß bei der Lektüre!

Nur keine Scherereien

Infolge von Gleisbauarbeiten auf der Arlbergstrecke war der Nachtzug aus Wien mit beträchtlicher Verspätung in Zürich angekommen. Erschöpft von der Nachtfahrt und verschwitzt vom Hasten durch die ausgedehnten Unterführungen des Züricher Hauptbahnhofes war ich auf den mir reservierten Sitzplatz im Anschlusszug in Richtung Genf gesunken. Die Wanderschuhe hatte ich gerade noch unter den Sitz schieben und den Rucksack im Zwischenraum der angrenzenden Sitzreihen verstauen können, da fuhr der Zug schon los. Puls und Atmung mussten sich erst wieder normalisieren. Doch bald meldete mein knurrender Magen seine Bedürfnisse. Dank des Konsums eines Bechers Kaffee, einer kleinen Flasche Mineralwasser und zweier Sandwichs, die mir die Betreuerin des fahrbaren Buffetwagerls – neudeutsch auch als „mobiles Bordservice“ bezeichnet – verkauft hatte, verspürte ich allmählich Wohlbefinden. Auch meine Lebensgeister kehrten zurück.

Von meinem Sitzplatz nahe dem Mittelgang konnte ich die Umgebung im Waggon sehr gut beobachten. Mir schräg gegenüber saß eine brünette, ältere Dame, die sich die Fahrtzeit mit dem Lösen von Kreuzworträtseln vertrieb. Hin und wieder blickte sie auf und schien kurz zu überlegen. Dann schrieb sie einige Buchstaben in die Wortraster. Die modisch getönte Brille ließ den Betrachter über die Augenfarbe der Raterin im Unklaren. Ihr schlank gebliebener Körper steckte in einem geblümten Sommerkleid. Ihre Füße zierten farblich dazu passende Schuhe. Ihr Aussehen wirkte elegant, aber irgendwie streng. Sie dürfte wohl Lehrerin gewesen sein. Ihr Parfüm duftete zart nach Lavendel und milderte den Gesamteindruck. Auf dem Sitz neben ihr stand eine pralle, große Tasche wie für einen Strandaufenthalt.

Die vier Plätze in der angrenzenden parallelen Sitzgruppe belegte ein Paar, beide um die Dreißig, mit zwei blondhaarigen Buben. Diese waren etwa zwei und vier Jahre alt. Die Ehefrau trug langes schwarzes Haar. Das Haupthaar ihres Mannes hatte sich schon stark gelichtet und diesem zu einer hohen Denkerstirn verholfen. Die Eltern versuchten, über die Umgestaltung einer Wohnung, vielleicht der eigenen, zu reden. Fabian, der ältere Knabe, saß auf dem Fensterplatz in Fahrtrichtung. Er lehnte dabei an seiner Mutter. Max, der jüngere, versuchte immer wieder, Erkundungen und Spaziergänge im Waggon zu starten. Doch der Vater hielt ihn zwecks Vermeidung von Sturzgefahr an einer Hand fest und beengte so die Aktivitäten seines kleinen Sohnes. Überdies trachtete er, die beiden Kinder durch Grimassenschneiden bei Laune zu halten. Die Mutter war für das leibliche Wohl der Kinder zuständig.

Einige Sitzreihen weiter erblickte ich einen bärtigen, jüngeren Mann, der auch gelegentlich in meine Richtung schaute. Er wirkte athletisch und war vermutlich Bergsteiger, da er eine Alpinhose mit abriebfesten Verstärkungen im Knie- und Knöchelbereich trug. Aus der Gepäckablage über seinem Kopf schaute ein größerer Rucksack hervor. An dessen Außenseite waren Steigeisen und ein Eispickel befestigt. Dieser Anblick erinnerte mich an Zeiten, in denen ich selbst noch als Bergsteiger und Kletterer unterwegs gewesen war. Diese Lebensphase, verbunden mit sehr vielen und überwiegend schönen Erinnerungen, hatte ich Gott sei Dank, abgesehen von der beginnenden

Kniearthrose, ohne Gesundheitsschäden überstanden. Doch die schönste Zeit war altersbedingt vorbei. Seit längerem erfreuten mich einfachere Wanderungen und kulturelle Ereignisse.

Meine Reminiszenzen unterbrach der Schaffner, der die Fahrkarten der zugestiegenen Fahrgäste markierte. Dabei fragte ich ihn: „Entschuldigen Sie bitte, werden wir in Genf fahrplanmäßig ankommen?“

„Vermutlich schon, mein Herr“, antwortete der Kontrollor. „Es sei denn, dass eine lebensmüde Person diesen Zug für die endgültige Lösung ihrer Probleme missbraucht und sich vor die Lok wirft. Ich würde ja solchen Menschen sehr gerne meine Dienstwaffe borgen. Aber diese Typen nehmen keine Rücksicht auf ihre Umgebung. Sie wählen lieber einen spektakuläreren Abschied. Sie können sich gar nicht vorstellen, mit welchen Scherereien solche Ereignisse für das Zugpersonal, die Fahrgäste, Polizei, Rettung und Feuerwehr verbunden sind...“

Mein Gegenüber unterbrach ihn abrupt mit schriller Stimme: „Hören Sie sofort auf mit ihren widerlichen Ausführungen. Wie in einem Horrorfilm! Ich will nichts davon hören und sehen! Einfach unerträglich! Sie verderben mir den schönen Tag.“

Auch die junge Mutter auf dem angrenzenden Sitzplatz sah den Kontrollor erzürnt an. Sie befürchtete negative Eindrücke ihrer Kinder und deren Fragen, die sie wahrscheinlich kaum altersgerecht beantworten könnte. Ich selbst hatte den Eindruck, der Schaffner hätte schon einige traumatische Erfahrungen mit Lebensmüden gehabt. Auch den Rest mit den Protokollen, erbosten Fahrgästen und Schaulustigen, welche die Arbeiten der Einsatzkräfte behindern würden, konnte ich mir gut vorstellen. Ebenso das Leid der geschockten Hinterbliebenen der Lebensmüden.

Von all dem unberührt, zog die in Sonnenlicht getauchte Landschaft links und rechts am fahrenden Zug vorbei. Die beiden Frauen in meiner nächsten Umgebung schienen ihre Fassung wiedergewonnen zu haben. Die ältere bearbeitete wieder ihre Kreuzworträtsel. Die jüngere widmete sich verstärkt der Betreuung ihrer Kinder.

„Wollt Ihr nicht Schnittchen vom Rosinenbrötli?“, fragte sie werbend. Max lehnte ab, doch Fabian ließ sich von seiner Mutter verwöhnen. Nach einiger Zeit hörte ich die Mutter sagen: „Luag amol, Fabian, dort links oben auf dem Berg steht eine Burg. Darin hatten früher Ritter gewohnt, aber die gibt es heute nicht mehr. Sie hatten Rüstungen getragen und zu Pferd gegen Feinde gekämpft.“

Fabian war sehr beeindruckt, stellte aber nach einigem Nachdenken folgende Frage: „Und wo sind jetzt die Ritter?“

Als seine Mutter mit der Antwort etwas zögerte, versuchte mein Gegenüber zu helfen und sagte lächelnd: „Da die Burgen aus Stein gebaut sind, haben sie die alten Zeiten überdauert. Als Ritter verkleidete Personen treten heute nur bei Festen in den alten Rüstungen auf. Aber Raubritter gibt es noch, die arbeiten vor allem in den Finanzämtern für den Staat.“

Als Fabian seine Mutter etwas verunsichert und fragend anblickte, sagte diese: „Mein liebes Kind, ich werde dir daheim ein Buch mit Bildern über die Ritter und deren Zeit zeigen. Dein Vater und ich werden alle deine Fragen beantworten.“ Fabian gab sich mit dieser Antwort zufrieden und widmete seine Aufmerksamkeit wieder dem

Rosinenbrötli, das ihm zu schmecken schien.

Nach einiger Zeit sagte seine Mutter: „Fabian, der Zug fährt bald in den Bahnhof von Bern ein. Luag amol, dort vorn ist ein großes, grünes Dach. Das gehört zum Bundeshüs. Dort schafft der Bundesrat. Im Bundeshüs machen die Politiker die Gesetze. So denken sie beispielsweise darüber nach, wie viel Zeit ein Zug von Zürich nach Bern brauchen darf."

Erneut war Fabian beeindruckt. Seinem Gesichtsausdruck zufolge dachte er über das Beispiel und die schwere Arbeit der Politiker nach. Wieder mischte sich die ältere Frau belehrend ein und sagte zu der jungen Mutter: „Ihr Beispiel zeigt, dass Sie keine besonders gute Meinung von den Schweizer Politikern haben. Solche Gesetze wären wohl zu einfach."

Die Geduld von Fabians Mutter schien erschöpft zu sein. Mit zorniger Miene entgegnete sie entrüstet: „Gute Frau, Sie sollten sich lieber um ihre Angelegenheiten kümmern und sich nicht in die Erziehung meiner Kinder einmischen. Einem Vierjährigen kann man Antworten zu schwierigen Fragen und Problemen nur mit einfachen Beispielen verständlich machen. Nehmen Sie das gefälligst zur Kenntnis!"

Die ältere Dame, die nur zu helfen versucht hatte, schwieg beleidigt.

Bei der nächsten Station stieg die junge Familie aus. Mein Gegenüber vertiefte sich wieder in die Kreuzworträtsel. Und ich erreichte Genf ohne Verspätung und ohne weitere Zwischenfälle.

Ein ordentliches Kipferl

Lange bevor die Frage „Heute schon ge*ströck*t?“ ein Werbespruch wurde, war Herr Franz bereits ein treuer Kunde der Gastronomiebetriebe Ströck. Deren Filiale am Siegesplatz lag nämlich auf dem Weg zu seiner Arbeitsstätte. Er, der kein Morgenmensch war, pflegte infolge der frühen Öffnungszeiten – an Werktagen bereits ab 5 Uhr 30 – sein Frühstück dort ungestört durch Familie oder lästige Anrufe einzunehmen. Sein Handy blieb während dieses Rituals ausgeschaltet. Er liebte es, den Tag langsam und in Ruhe zu beginnen. Denn Hektik und Stress waren ihm zuwider. Meistens saß er schon kurz nach 6 Uhr an einem der Tischchen bei einem großen Braunen mit einer Portion Apfelkuchen. Dabei fand er noch Zeit, die Sportseiten im „Kurier“ und in der „Krone“ zu lesen. Der restliche Inhalt der beiden Zeitungen interessierte ihn kaum. Oft begegnete er bei seinen morgendlichen Besuchen auch anderen Menschen, die ähnlich zeitig zur Arbeit mussten, oder Personen, welche die senile Bettflucht aus den Federn trieb und Gesprächspartner suchten.

Das Bedienungspersonal dieser Tochterfirma war sehr jung, freundlich und flink. Wenn es Frühschicht hatte, waren diese armen Menschen schon ab 4 Uhr 15 mit dem Herrichten der Waren beschäftigt. Doch seit die besonders hübsche Frau Alica dort arbeitete, war Herr Franz noch lieber Kunde der Firma Ströck. Alicas herzliches Lächeln, ihr sanftes, angenehmes Wesen und die liebevolle Betreuung schienen viele Menschen zu bezaubern und diesen zu einem guten Start in den harten Arbeitstag zu verhelfen. Dank ihres phänomenalen Gedächtnisses merkte sie sich sehr rasch die Gewohnheiten der Stammkundschaft. Im Falle der Bejahung der Frage „Wie immer?“ gab es dann problemlos das von den Stammgästen erwartete Getränk oder Essen beziehungsweise beides. Dies führte dazu, dass die hochzufriedenen Kunden weder beim Trinkgeld noch mit Lob sparten. Denn sie hatten auch den Eindruck, mit Alica sei ein strahlender Engel in Menschengestalt erschienen. Doch so manche mieselsüchtige und streitlustige Person konnte nicht einmal durch Alicas sonniges Wesen kuriert werden.

Herr Franz blieb auch nach seiner Pensionierung treuer Kunde dieser Filiale. Doch jetzt konnte er wenigstens länger schlafen. So erschien er nunmehr kaum vor 10 Uhr im Lokal, manchmal sogar erst am Nachmittag. Hin und wieder ließ er sich trotz der Zeitungslektüre auf Gespräche mit Menschen ein, die ihm sympathisch waren und Sinn für Humor zeigten. Manchmal wurde er dann Zeuge von sehr lustigen, aber auch kuriosen Konversationen.

So hatte eines Tages ein Mann einen Laib Landbrot gekauft und danach folgende Bestellung geäußert: „Ich hätte noch gerne einen großen Braunen und dazu bitte ein *ordentliches* Kipferl.“

Die etwas erstaunte Verkäuferin hatte geantwortet: „Verzeihung, der Herr, wir haben nur Butterkipferl, mürbe Kipferl, Briochekipferl und Burgenländer Kipferl. Welches davon hätten's denn gern?“

Nach kurzem Zögern hatte der Gast gesagt: „Dann halt bitte ein Butterkipferl.“

Einige Gäste hatten diesen Dialog zufällig gehört und

begannen zu schmunzeln. Wie Herr Franz fragten sie sich, was mit einem „ordentlichen Kipferl“ gemeint sein könnte. Vielleicht ein großes Kipferl, ein frisches Kipferl, ein saftiges mit Marillenmarmelade oder Schokoladecreme gefülltes Kipferl, ein Kipferl ohne Dellen oder Druckstellen oder gar ein Kipferl ohne Zuckerglasur? Ein frivoles Kipferl, ein mit Punsch getränktes Kipferl oder ein gewaschenes, rasiertes, desinfiziertes, gekämmtes oder frisch gezuckertes Kipferl gab es ja wohl nicht.

Als dieser eigenwillige Gast sich einen freien Platz suchte und am Tischchen von Herrn Franz vorbeikam, fragte dieser: „Lieber Herr, was bedeutet denn für Sie ein 'ordentliches Kipferl'?“

Der Gefragte blickte Herrn Franz freundlich an und antwortete: „Ich wollte mit meiner Bestellung nur ein Kipferl, das noch nicht nach den Regelungen dieser Scheiß-EU geformt sein muss. Denn ich denke noch immer mit Grauen auch an die Verordnung, mit der Größe und Krümmung von Gurken festgelegt worden waren. Aber diese ist Gott sei Dank in der Zwischenzeit aufgehoben worden. Und über das Kasperltheater mit den Pleite-Griechen und von den verzweifelten, sinnlosen Rettungsversuchen des Euro will gar nicht reden, sonst bringt mich die Blutdruckerhöhung vorzeitig ins Grab.“

Nicht nur Herr Franz, auch andere Gäste mussten herzlich lachen. Der Gefragte hatte sich als EU-Skeptiker zu erkennen gegeben – neudeutsch „sich geoutet“ – und schien diese geradezu zu hassen. Herr Franz bedankte sich beim EU-Kritiker für dessen Ehrlichkeit und lud diesen ein, bei ihm Platz zu nehmen. Dann sagte er: „Lieber Herr, wenn es Ihnen recht ist, so erzähle ich Ihnen auch etwas zum Stichwort 'ordentlich'.“

Als der Gefragte zustimmte, fuhr Herr Franz fort: „In jungen Jahren hatte ich einmal in Villach für zwei Tage als Monteur zu tun. Damals war ich zum ersten Mal in meinem Leben überhaupt in Kärnten. Während der kurzen Mittagspause wollte ich in einer nahe gelegenen Fleischhauerei, in der gerade Einheimische Diverses einkauften, eine Kleinigkeit essen. Ich bestellte zwei Fleischlaberl mit Erdäpfelsalat und eine Flasche Bier. Als mir die Serviererin zum Essen auch eine Flasche Villacher Bier brachte, habe ich gefragt, ob es kein ordentliches Bier gebe. Plötzlich ist es im Lokal sehr still geworden und alle haben mich böse angeschaut. Wenn Blicke töten könnten, hätte ich diese Fleischerei nicht mehr lebend verlassen. Sie können sich vielleicht vorstellen, was sich die Einheimischen über mich als Wiener gedacht haben. Aber für mich, der ich damals Liesinger, Schwechater, Ottakringer, Gösser Bier und tschechoslowakische Biere zu trinken pflegte, war das Villacher Bier schon ein sehr exotisches Getränk."

Nun lachten alle, und der Eingeladene sagte: „Herzlichen Dank für den Humor und Schwank. Ich glaube, Sie verstehen mich sehr gut, und ich freue mich schon auf unser nächstes gemeinsames Gespräch."

Dann zahlte er auch die Konsumation von Herrn Franz, der sich hocherfreut bedankte, grüßte und verließ gutgelaunt die Ströck-Filiale.

Herr XY

Es war ein heißer Augusttag in Wien, kurz vor 16 Uhr 15. Herr XY stand bei der Haltestelle Julius Raab-Platz und wartete auf eine Straßenbahn der Linie 2 in Richtung Oper. Als Teil einer anonymen Masse von Beamten und Beamtinnen wollte auch er nach Arbeitsschluss rasch nach Hause zur Familie.

Er betrachtete aus Gewohnheit das gegenüberliegende Regierungsgebäude am Stubenring, das er bis morgen verlassen hatte und das noch im Sonnenlicht erstrahlte. Errichtet im Jahre 1912 als Heeresministerium der österreichisch-ungarischen Monarchie, schien es wie für die Ewigkeit bestimmt zu sein. Seit dem Zerfall des Großreiches beherbergte es einige Ministerien, deren Namen sich wegen des Wechsels von Zuständigkeiten mehrmals geändert hatten. Unter dem Dach des Repräsentativbaus thronte der riesige, metallene Doppeladler als Symbol für Macht, Glanz und Ruhm. Darunter war folgende Inschrift lesbar: SVMMIS IMPERATORIS ET REGIS FRANCISCI JOSEPHI I. AVSPICIIS ANNO MCMXII AEDIFICATVM. Auf dem Dach, über den Adlerschwingen, wehten nunmehr rechts die Fahne Österreichs und links jene der EU.

Herr XY war vor vielen Jahren als Werkstudent und Vertragsbediensteter des Bundesministeriums für Land- und Forstwirtschaft, nunmehr auch zuständig für Umwelt und Wasserwirtschaft, in den Staatsdienst getreten. Damals war für alle Aufgenommenen noch eine Untersuchung beim Amtsarzt im Sozialministerium obligatorisch. Trotz eines langen Irrweges infolge der verzweigten

Gänge des Regierungsgebäudes hatte der junge Mann das Dienstzimmer des Amtsarztes schließlich doch gefunden. Nach der zufriedenstellenden Untersuchung hatte sich der Arzt mit dem Probanden noch ein wenig unterhalten. Nach Kenntnis dessen beruflicher Pläne hatte er abschließend gesagt: „Junger Mann, verlassen Sie den Staatsdienst, solange Sie noch können! Am besten möglichst bald."

Die eindringliche ärztliche Warnung, die der Proband als Fehlmeinung und Kompetenzüberschreitung eingeschätzt hatte, erwies sich als nutzlos. Herr XY war auch nach Abschluss seines Studiums als Jurist im Staatsdienst geblieben und im Laufe der Jahre wie viele andere auch zum lebenden Inventar des großen Kuriositätenkabinetts geworden. Anfangs hatte er täglich mit Freude gearbeitet. Später war seine Tätigkeit, verbunden mit vielen Überstunden, mühsamer geworden. In den letzten Jahren empfand er sie zunehmend als unerträglich, weil sie ihm gesundheitliche Probleme bescherte. Da aber Hunger bekanntlich schmerzt, musste er wohl bis zur Pensionierung, die er immer öfter herbeisehnte, weiter dienen. So erschien ihm der tägliche Arbeitsschluss nur als ein kurz bemessener Freigang aus einem Gefängnis oder als befristete Entkettung eines Galeerensträflings. Auch die Wochenenden, Feiertage und Urlaube, die er nicht mehr als erholsam empfand, vermochten daran nichts zu ändern. Seine Situation betrachtete er nicht selten als kafkaesk.

Zur Ablenkung von seinen beruflichen und privaten Belastungen las er zudem in seiner Freizeit viel. Wenn er etwa die Schilderungen von Abläufen und Erlebnissen im Staatsdienst von Friedrich Ferdinand G. Kleinwaechter in

Der fröhliche Präsidialist, bei Fritz von Herzmanofsky-Orlando in *Kaiser Franz Joseph und die Bahnwärterstochter* und bei Jörg Mauthe in *Die große Hitze oder Die Errettung Österreichs durch den Legationsrat Dr. Tuzzi* genoss, hatte er den Eindruck, ein Hauch der längst vergangenen Monarchie sei auch noch in der Gegenwart irgendwie präsent. Zwar war der Kadavergehorsam nicht mehr so spürbar wie zu Beginn seiner Dienstzeit. Damals hatte Herr XY beispielsweise den Auftrag erhalten, wichtige Unterlagen Herrn Bundesminister Dipl. Ing. Günter Haiden im Parlament persönlich zu übergeben. Danach hatte er seinem Abteilungsleiter darüber Bericht erstattet und in jugendlicher Unbekümmertheit gesagt: „Ich konnte den Auftrag schnell erledigen, da mir der Herr Minister vor dem Parlament zufällig über den Weg gelaufen ist."

Sein Abteilungsleiter war plötzlich erstarrt und hatte ihm mit ernster Stimme eine unvergessliche Lektion zu Wahrung von Form und Rang erteilt: „Danke sehr für die prompte Erledigung. Aber Sie wollten wohl sagen, *Sie* sind dem Herrn Bundesminister über den Weg gelaufen."

Doch das unwidersprochene, loyale Dienen und das jederzeitige Zur-Verfügung-Stehen der Beamtenschaft wurde noch immer erwartet. Jede politische Partei, egal ob in der Regierung oder als Opposition, empfand sich selbst als der Staat, dessen Apparat ihr zu dienen hatte.

So wurden die Gesetze und Verordnungen im wesentlichen weiterhin in den Ministerien und nicht – wie seit vielen Jahrzehnten angeblich angestrebt – im Parlament erarbeitet und formuliert. Gleiches galt bezüglich der Ministerien und deren nachgeordneten Dienststellen für die Vollziehung von EU-Verordnungen und für eine entsprechende Umsetzung und Administration von EU-

Richtlinien im Inland. Berechtigte Kritik am System wurde zunehmend als bedrohliche Störung der angestrebten Ziele interpretiert. Publik gemachte Warnung vor Fehlern wurde nicht selten als nicht repräsentative Meinung abgetan, als Spinnerei mit gefährlicher Nähe zu Geisteskrankheit qualifiziert oder sogar mit straf- und dienstrechtlichen Konsequenzen geahndet.

Infolge der allgemeinen Banken-, Finanz- und Wirtschaftskrise war die Verschuldung vieler Staaten der EU in kurzer Zeit dramatisch angestiegen. Sparpakete und ein finanzieller Rettungsschirm sollten das angeblich schlimmste Szenario, ein mögliches Scheitern von EU und Euro, verhindern. Österreich litt zusätzlich noch unter einem starken Reformstau in zahlreichen Bereichen und unter einer gegenseitigen Blockade der in der aktuellen Regierung vertretenen Parteien. Die von einem Reformkonvent erarbeiteten, weitreichenden Vorschläge lagen schon längst vor. Deren Einsparungspotential und rasche Umsetzung wurde wegen drohender Kompetenz- und Machtverluste aber negiert. Dies alles verstärkte sich noch durch eine Reihe von Skandalen, die langwierige justizielle und parlamentarische Untersuchungen erforderten. Trotz vieler Vorverurteilungen war die sogenannte Unschuldsvermutung zu einem geflügelten Wort für Medienberichte und Kabarettprogramme geworden. Korruptionsstaatsanwaltschaft, Ohrenbläser und Beschwichtigungshofräte hatten reichlich zu tun. Nach den Ergebnissen aktueller Meinungsumfragen hatten alle österreichischen Parteien „Dreck am Stecken“. Mittels der notwendigen Untersuchungen war wohl nur mehr das jeweilige Ausmaß der Beteiligung einigermaßen zu objektivieren. Aber konnte man Meinungsumfragen überhaupt noch trauen? Gaben Fragesteller und Befragte immer ihre wahren An- und Absichten preis? Das Vertrauen der Bevölkerung in Politik und staatliche Institutionen sank seit Jahren immer stärker und stärker. Ein von manchen Politikern angekündigtes Machtwort in dieser oder jener Angelegenheit führte nicht selten zum sprichwörtlichen Lachen auch der Hühner. Die weit verbreitete EU-Skepsis und der große Nichtwähleranteil würden sich vermutlich noch steigern.

Herr XY hatte, ebenso wie viele andere Normalbürger, im Lichte dieser Fakten den Eindruck, dass sich der Doppeladler der Monarchie längst in einen mehrköpfigen Pleitegeier der EU verwandelt hatte. Deren gemeinsamer Wirtschaftsraum war an die Stelle der einstigen Großmacht getreten. Die häufig gehörte Forderung, Österreich müsse als kleines, aber reiches Land mehr gegen Armut tun und mehr Migranten zwecks Stabilisierung des eigenen Bevölkerungswachstums und zur Sicherung des Pensionssystems aufnehmen, hielt er für gefährliches Geschwätz. Rechnete man alle ausgelagerten Defizitverursacher der Kommunen, Länder und der Republik in die gesamten Staatsschulden ein, so war auch Österreich bald auf dem griechischen Weg. Zu dem gab es noch völlig diametrale Expertenansichten bezüglich einer effektiven Lösung der Probleme. So waren auch die Ersparnisse der Durchschnittsösterreicher, trotz einer hohen Einlagengarantie seitens des Staats, in Gefahr, verschlungen zu werden. Diese verfügten kaum über „Spielkapital“ für Aktienkäufe und andere risikoreiche Investitionen, oft nicht einmal über genügend Geld für das tägliche Leben. Dies bestätigte auch der Anstieg der Privatkonkurse. Aber sogar der Mittelstand geriet zunehmend unter Druck.

Es gab also wenig zu lachen, und trotzdem musste es irgendwie weitergehen. So konnten ja nicht alle in ein selbst gewähltes Paradies entfliehen. Manchmal schien der riesige Doppeladler seinem Betrachter schelmisch zuzuzwinkern, obwohl dieser keinen Alkohol getrunken hatte. Machte er sich vielleicht lustig über den Staatsdiener? War es nur eine optische Spiegelung oder drohte gar schon der graue Star?

Als endlich die herbeigesehnte Garnitur der Linie 2 kam, wurde Herr XY aus seinen Gedanken und Reminiszenzen gerissen. Jetzt galt es, wenigstens einen Stehplatz in der Straßenbahn zu ergattern. Auch der Beiwagen war schließlich vollgestopft. Niemand würde selbst im Fall einer Notbremsung umfallen können.

Die Situation im Beiwagen schien zwei älteren Damen, die sich bei der mittleren Tür irgendwie hineingezwängt hatten, sehr zu missfallen. Eine der beiden machte ihrem Ärger Luft, indem sie zu ihrer Begleiterin allgemein hörbar sagte: „Na ja, heutzutage gibt es keine Kavaliere mehr, die ihren Sitzplatz einer Dame anbieten würden."

Kaum hatte sie dies gesagt, da drehte sich im vorderen Teil des Wagens ein Mann auf seinem Sitzplatz in die Richtung der Kritikerin um. Seinem schneeweißen Haar und faltigen Gesicht zufolge schien er über achtzig Jahre alt zu sein. Seine sichtbare Kleidung bestand aus einem weißen Hemd und einem dunkelgrauen Anzug samt farblich abgestimmter Krawatte sowie einem dazu passenden Stecktuch. Empört erwiderte der Mann: „Gnädige Frau, Kavaliere gibt es genug, aber offensichtlich zu wenige Sitzplätze!"

Diese Äußerung führte zu lautem, entspannendem Gelächter, dem sich auch Herr XY nicht verschließen konnte. Nur die beiden Damen blieben stumm und schauten etwas sauertöpfisch drein. Infolge des dichten Gedränges im Wageninneren hätte ihnen niemand, sogar bei bestem Willen, seinen Sitzplatz mit Erfolg anbieten können.

Erst bei der Haltestelle Kärntnerstraße / Oper verließen viele den Ringwagen. Vielleicht wurden nun Sitzplätze für die beiden Damen frei? Herr XY schmunzelte noch über die erlebte Situationskomik, als er in den ebenfalls vollgestopften Autobus der Linie 59 A umstieg. Seine trüben Gedanken waren wenigstens für kurze Zeit verschwunden.

Aber würde es morgen noch etwas zu lachen geben?

Starke Persönlichkeiten

Helene und Erna, zwei ehemalige Schulkolleginnen, waren einander zufällig in der Wiener Urania anlässlich eines Lichtbildervortrages über eine Bretagne- und Normandie-Reise begegnet. Groß waren die Überraschung und Freude für beide Damen gewesen. Denn trotz der vielen Jahre der Trennung hatten sie einander problemlos wiedererkannt. Sie hatten ihre Telefonnummern ausgetauscht, um sich bald zu einem ausführlichen Gespräch zu treffen.

Zwar hatte es fast zwei Monate gedauert, aber dann war die Verabredung fixiert. Für das Nachmittagstreffen hatten sie sich auf das *Café zum 1. Stock* in der Schlosshoferstraße, nahe dem Franz Jonas-Platz, geeinigt. Dieses Lokal kannten beide schon. Außerdem war es verkehrsmäßig leicht zu erreichen und lag für beide auf halbem Weg. Nun saßen sie im Nichtraucherteil an einem Tischchen mit bequemen Ledersesseln. Beide hatten sich für einen großen Braunen und eine Portion Apfelstrudel entschieden.

„Ich kann es gar nicht glauben, Helene, aber es sind bald *d r e i u n d v i e r z i g* Jahre her seit unserer Matura“, sagte Erna und fügte lächelnd hinzu, „und trotz dieser langen Zeit haben wir beide uns kaum verändert.“

„Du musst mir nicht schmeicheln“, antwortete Helene belustigt, „aber stärkere, äh, dickere Menschen wirken oft jünger, da ihre Falten nicht so deutlich sichtbar sind. Aber wir sollten doch nicht nur über unsere Schönheit sprechen. Mich würde mehr interessieren, wie es dir bisher ergangen ist.“

„Na gut, dann fange halt ich an“, stimmte Erna zu.

„Nach der Matura habe ich eine Stelle bei der Zentralsparkasse, der späteren Bank Austria, gefunden. Bei einem Ball in den Sophiensälen habe ich meinen zukünftigen Ehemann kennengelernt. Er war groß, fesch und ein sehr eleganter, schwungvoller Tänzer. Keiner dieser müden Zehentreter wie vorher. Mit ihm hat mir das Tanzen immer Spaß gemacht. Er war auch ein angenehmer Gesprächspartner, da er gut zuhören konnte und sich nie als Besserwisser aufgespielt hat. Seine Hobbys, Musik, Reisen und Photographieren, haben auch mich interessiert....“

„Wieso sprichst du von ihm nur in der Vergangenheit?“, unterbrach Helene fragend.

„Sepp, mein Mann, ist leider vor fünfzehn Jahren an den Folgen eines Aneurysmas gestorben. Er war starker Raucher, und eine seiner Arterien ist halt geplatzt. Deshalb ist er innerlich qualvoll verblutet. Wäre er regelmäßig zur Gesundenuntersuchung gegangen, so könnte er vielleicht heute noch leben.“

„Wie tragisch für dich. Aber du hast doch sicher wieder geheiratet?“, wandte Helene fragend ein.

„Nein, das wollte ich nicht mehr. Meine Tochter, Johanna, hat mich nach dem Tod ihres Vaters sehr gebraucht. Kurz vorher war ihre Ehe zerbrochen. Sie musste wieder arbeiten gehen und hatte aber zwei noch kleine Kinder, Grete und Felicitas. Auch die benötigten die Oma als Stütze“, fuhr Erna fort. „Zwar hatte ich noch einige Beziehungen, doch alle waren nur von kurzer Dauer. Diese Männer taugten nichts und ließen sich von mir nur bedienen. Und meine letzten, noch halbwegs schönen Jahre will ich in Ruhe und Gemütlichkeit genießen...“

„Und wie verbringst du diese Zeit?“, bohrte Helene

weiter.

„Na ja, mit Lesen, Hören von klassischer Musik und gelegentlichen Theaterbesuchen. Ab und zu treffe ich mich mit alten Bekannten beim Heurigen. Meistens in Stammersdorf, wo ich seit vielen Jahren wohne. Aber am liebsten gehe ich ins Café, um bei Kaffee und Kuchen mehrere Zeitungen in Ruhe zu lesen. No dope, no hope! Mein Arzt, der Dr. Bös, sagt, ich sei etwas adipös. Ich sollte mich mehr bewegen, aber nicht im Bett und beim Essen. Mein Bruder, der herzlose Bosnigl mit einem Bauch wie ein Fußball, hat mich sogar als kleinen Sumoringer bezeichnet. Das vergesse ich ihm niemals! Ich bemühe mich zwar um mehr Bewegung, aber meine Hüftgelenke und Knie streiken oft schmerzhaft“, schloss Erna die Kurzfassung ihres Lebenslaufes.

Na, kein Wunder bei einer Größe von etwa 1,65 m und gefühlten 110 kg Körpergewicht, dachte Helene. Laut sagte sie: „Ich habe auch um einiges mehr an Gewicht als mir lieb ist, aber du hast dir im Laufe der Jahre zu viel Kummerspeck zugelegt. Willst du dir damit alle Lebensprobleme vom Leib halten?“

„Vielleicht“, erwiderte Erna. „Aber ich habe schon mehrere Diäten probiert, doch ab- und zugenommen wie der Mond, nur *zu* leider etwas mehr. Sogar bei den Weight-Watchern war ich eine Zeit lang. Aber ich habe kaum abgenommen, da mich das Kochen und ewige Punktezählen bei den Lebensmitteln und Speisen bald nervten. Ich bin doch keine Erbsenzählerin oder Buchhalterin! Es haben sich auch einige TeilnehmerInnen der Gruppe über mich lustig gemacht. Und die Trainerin hat mir unter vier Augen sogar noch vorsichtig nahegelegt, nicht mehr zu kommen, da ich ihr alle Statistiken ruinieren würde. Seitdem steige ich auf keine Waage mehr und esse wieder, was mir schmeckt. Das Leben ist für sinnlose Quälerei viel zu kurz. Ich pfeife in meinem Alter auf eine Model-Figur, die mir nur Falten und Hunger beschert!"

„Na, du musst dich ja nicht zu einem Gerippe herunter hungern. Aber für etwas mehr Essensdisziplin wäre dir dein überbelasteter Körper schon dankbar. Sonst verkürzt du dir das Leben erheblich. Denk doch wenigstens an deine Enkelkinder, die dich noch lange besuchen wollen!", entgegnete Helene.

„Bitte, Helene, keine Belehrungen! Die wirken bei mir nicht mehr. Erzähl mir lieber von deinem Lebensweg!", forderte Erna.

„Gut, gut", sagte Helene beschwichtigend. „Also nach der Matura habe ich mich erfolgreich um einen Posten bei der Finanzlandesdirektion für Wien, Niederösterreich und Burgenland beworben. Ein Studium wäre mir aus finanziellen Gründen unmöglich gewesen. Dann habe ich mir eine günstige Wohnung gesucht, da ich die ewige Streiterei meiner Eltern und die Alkoholexzesse meines Vaters nicht mehr ertragen konnte. Während einer Tour des Österreichischen Alpenvereins habe ich meinen Mann kennengelernt. Es war für uns Liebe auf den ersten Blick. Als seine reichen Eltern davon erfuhren, haben sie ihm mit dem Entzug aller finanziellen Unterstützungen und sogar mit Enterbung gedroht. Er solle lieber Jus studieren und den väterlichen Betrieb übernehmen, sagten sie. Doch Rudi hat zu mir gehalten, und wir haben geheiratet. Er hat eine Stelle als Buchhalter angenommen und ist bei mir eingezogen. Zwei Jahre später ist Fritz, unser Sohn, zur Welt gekommen. Erst dadurch wurden meine Schwiegereltern etwas milder gestimmt. Mein Schwiegervater hat sich dann einen Teilhaber für seinen Betrieb gesucht und seinem Kompagnon einige Jahre später seinen Anteil verkauft. Nach Gerlindes Geburt, unserer Tochter, habe ich meinen Posten bei der Finanz aufgegeben, und wir sind in das Haus der Schwiegereltern in Aspern übersiedelt. Für die Kinder war es ein Paradies, für die Schwiegermutter und mich eher die Hölle. Wir hatten ständige Meinungsverschiedenheiten, welche selbst meinen Mann sehr genervt haben. Drei Jahre später sind die Schwiegereltern bei einem Autounfall in Italien tragisch ums Leben gekommen. Sekundenschlaf des Schwiegervaters dürfte die Ursache gewesen sein. Rudi hat den Schicksalsschlag mit Fassung hingenommen. Dank des väterlichen Nachlasses haben wir keine finanziellen Sorgen. Seitdem kümmere ich mich um die Arbeit in Haus und Garten. Rudi unterstützt mich brav. Da er aber schnarcht, haben wir seit dem Tod der Schwiegereltern getrennte Schlafzimmer. Ich brauche meinen ungestörten Schönheitsschlaf, und er sitzt lange vor dem Computer oder Fernsehapparat. Die ehemaligen Kinderzimmer sind jetzt für unsere vier Enkelkinder, die öfter bei uns übernachten, reserviert. In Kürze wird Rudi in Pension gehen."

„Habt Ihr schon Pläne für diese neue Lebensphase?", unterbrach Erna interessiert.

„Pläne schon, aber ob wir unsere Ziele erreichen können, wird sich erst in einiger Zeit herausstellen", entgegnete Helene. „Die Umstellung anlässlich einer Pensionierung soll angeblich eine ziemliche Belastung für jede Partnerschaft sein. Rudi möchte ein Studium versuchen, vielleicht Germanistik und Geschichte. Aber ob seine Merkfähigkeit und Ausdauer dafür noch reichen, bleibt für mich etwas zweifelhaft. Ich möchte nicht, dass er sich einen Freizeitherzinfarkt einhandelt, noch dazu bei all den hübschen, jungen Studentinnen an der Universität Wien. Aber möglicherweise ist der Spuk bald vorbei, und er kümmert sich mehr um seine Enkelkinder. Jedenfalls sollte er geistig und körperlich in Bewegung bleiben, obwohl er noch rank und schlank ist."

„Na, und du hast keine Pläne? Wie sieht es mit Fernreisen aus?", insistierte Erna.

„Vielleicht werden wir ab und zu eine kleine Reise machen. Aber im Sommer muss der Garten betreut werden. Weißt du, ich verlasse mich nicht gerne auf fremde Hilfe. Und ab Herbst besteht die Gefahr von Dämmerungseinbrüchen. Ich spiele auch mit dem Gedanken, vielleicht den einen oder anderen Kurs an der Volkshochschule Donaustadt zu belegen. Aber alles ohne Stress. Ein Auffrischungskurs für Englisch oder ein Kurs für literarisches Schreiben wäre nicht schlecht", sagte Helene unentschlossen.

„Ha-ha, du willst wohl so bekannt und reich wie Charlotte Roche werden?", scherzte Erna.

„Nein, sicher nicht", entrüstete sich Helene. „Ich würde weder feministische noch schlüpfrige Texte verfassen. Diese Autorin hatte ihren ersten Bucherfolg neben ihrer Fernsehtätigkeit vor allem Marcel Reich-Ranicki, dem angeblichen Literaturpapst, zu verdanken. Der hatte nämlich in einem Fernsehinterview gemeint, Roche schreibe weder guten noch schlechten Stil, sondern reine Pornographie. Darauf hin sind die Verkaufszahlen der *Feuchtgebiete* in extreme Höhen geklettert. Und *Schoßgebete* sollen noch skandalöser sein. Vielleicht kann ich Dir bei unserem nächsten Plauscherl schon mehr über die Realisierung unserer Pläne erzählen."

„Sehr gerne, aber wann?", fragte Erna zögernd.

„Nicht vor Mitte Oktober! Erst dann werde ich über den Lauf der Dinge an der Universität Wien und der Volkshochschule Donaustadt Näheres berichten können", meinte Helene.

„Na schön, aber Du spannst meine Neugierde schon

jetzt auf die Folter“, sagte Erna lächelnd.

Schließlich bezahlte Helene die gesamte Konsumation. Dann brachte der ächzende Lift die beiden starken Persönlichkeiten wohlbehalten an die frische Luft.

Ernas Wiedersehen mit Helene

Erna hatte Helene, ihre ehemalige Schulkollegin, telefonisch zu einem Wiedersehen gedrängt, weil sie fast vor Neugierde zu platzen drohte. Helene hatte nur zu gerne zugestimmt, da sie über die Veränderungen ihres Lebens mit einer vertrauten Person sprechen wollte. Nun saßen sie wieder im Nichtraucherteil des *Cafés zum 1. Stock*, als ob dieses schon immer ihr Stammlokal gewesen wäre. Der Ober hatte sie wie langjährige liebenswürdige Gäste begrüßt. Auf dem Tischchen vor ihnen standen wieder je ein großer Brauner und eine Portion Apfelstrudel.

„Was gibt es Neues? Helene, heute beginnst du, weil ich schon sehr neugierig auf deine Erlebnisse bin“, drängte Erna.

„Deine Frage erinnert mich an die ehemalige Radiosendung am Sonntagvormittag von und mit Heinz Conrads“, meinte Helene lächelnd. „Aber im Ernst gesagt, ich muss dir mein sprichwörtliches Herz ausschütten. Seit Anfang Juli ist Rudi endlich in Pension, und ich bin mehr gestresst als vorher. Ich hatte mir das alles ganz anders vorgestellt. Am Anfang war das ja wie einst in unseren Flitterwochen. Wieder ausführliche, interessante Gespräche, Scherzen, Lachen und Turteln, na ja, du weißt schon, was ich meine. Aber bald ist er in Hyperaktivität verfallen, und ich musste ihn mit allen möglichen erdachten Arbeiten in Haus und Garten beschäftigen und ablenken. Sonst wäre er ständig in meiner Nähe gewesen und hätte mir in alle Reindln gesehen oder ständig den Eiskasten nach Essbarem durchsucht. Einfach schrecklich! Dann wollte er mit mir trotz der großen Hitze verreisen oder zumindest jeden Tag etwas gemeinsam unternehmen und die Niederösterreich-Card verstärkt ausnützen. Mein eigener Mann war mir plötzlich lästig wie ein Dreijähriger, der seiner Mutter an der Kittelfalte hängt und ständig Fragen stellt. Kannst du dir das vorstellen?“

„Doch ja, irgendwie schon. Ihr werdet halt beide einige Zeit mit der Umstellung auf die geänderte Lebenssituation und mehr Geduld für einander brauchen. Aber Beziehungsstress ist für dich doch nichts Neues? Aber wollte Rudi nicht ein Studium beginnen und wolltest du nicht Kurse an der Volkshochschule belegen?“, entgegnete Erna teils besänftigend, teils fragend.

„Rudi hat tatsächlich noch im Juli an der Universität Wien immatrikuliert und inskribiert. Schon das Warten mit einer Nummer bis zum Aufruf wie beim Finanzamt hat ihm schwer zugesetzt“, antwortete Helene lächelnd.

„Sogar jüngere Menschen macht das Warten nervös“, warf Erna ein.

„Und dann ist der arme Masochist wieder in der Schlange gestanden, um sich bei der Studienberatung über Details zum Germanistikstudium zu informieren. Aber zum Unterschied von vielen JunginskribentInnen hatte er wenigstens alle erforderlichen Dokumente mit. Nervlich völlig fertig und hundemüde war er schon nach dem ersten Tag“, fuhr Helene fort. „Er hat mir fast Leid getan. Und seit Mitte August hat er täglich per Computer im Vorlesungsverzeichnis für Germanistik geblättert. Er wollte sich für ein paar Lehrveranstaltungen anmelden. Das geht heutzutage alles nur mittels Computer und nach einem Punktesystem. Das erste Semester möchte er schon mit der Studieneingangsphase, einer Art Informations- und Tauglichkeitstest für das weitere Studium, abschließen. Sollte ihm das gelingen, beginnt erst das richtige Studium. Ich befürchte, er wird sich damit etwas übernehmen und sich noch die Augen mit dem vielen Lesen ruinieren."

„Na, das klingt schon ziemlich beängstigend, was du mir berichtest. Und wie ist das mit den Studiengebühren?", hakte Erna nach.

„Derzeit muss er keine Studiengebühren zahlen. Die Diskussion wegen deren Wiedereinführung ist ja noch nicht abgeschlossen, auch wenn die Zeitungen dazu jede Woche etwas Neues bringen. Rudi könnte sich das schon leisten, wenn die Gebühren nicht allzu hoch wären. Alles, was gratis ist, wird bald als selbstverständlich und früher oder später als wertlos erachtet. Übrigens würde es vermutlich soziale Staffelungen geben. Willst du vielleicht auch noch studieren?", erwiderte Helene.

„Gott bewahre, nein! Ich sollte mich mehr in frischer Luft bewegen und weniger daheim oder in Cafés sitzen. Aber mich interessiert die Gebührenfrage wegen meiner Enkelinnen. Überdies ermüde ich rasch und kann mich nicht mehr so lange konzentrieren wie früher", antwortete Erna. „Ich meine auch, es sollten nur Personen studieren, die dazu geistig besonders befähigt sind und ernsthaft lernen wollen. Viele junge Menschen wollen doch nur aus Karrieregründen einen Studienabschluss, aber dafür möglichst wenig leisten müssen. Wie sollen solche Leute später auf dem Arbeitsmarkt und im täglichen Job konkurrenzfähig und belastbar sein? Die Universität sollte nicht Wärmestube für Bresthafte und geistige Nasenbohrer sein. Und ich bin auch für Studiengebühren und Zugangsregelungen bei Massenfächern, weil nicht einmal die Konsumation in einem Café gratis ist und dort auch nur eine bestimmte Anzahl von Menschen gleichzeitig Platz hat. Und ein Fernstudium für alle kann nicht der Weisheit letzter Schluss sein. Nur wir beide können leicht reden, da wir die Bildungsfragen nicht lösen müssen.

Aber du, Helene wolltest doch wenigstens das Bildungsangebot der Volkshochschulen nützen, oder nicht?“

„Ja, das wollte ich. Zuerst meldete ich mich für ein sogenanntes Schreibworkshop an der Volkshochschule Donaustadt an. Daran nahmen sieben Personen teil. Aber das war mir viel zu schwierig. Ich dachte anfangs, die Kursleiterin werde etwas über Schreibtechnik erzählen und wir bekämen eine stilistische Hausaufgabe bis zur nächsten Stunde. Doch die Dame sagte zu uns, suchen Sie sich vor dem Gebäude eine Person aus, prägen Sie sich deren Aussehen ein, versuchen Sie, sich in deren Persönlichkeit hineinzuversetzen, und schreiben Sie in etwa fünfundvierzig Minuten eine kurze Erzählung, und danach reden wir darüber“, schilderte Helene.

„Aber so etwas hast du vermutlich doch vorher noch nie gemacht. Wie hast du darauf reagiert?“, wendete Erna fragend ein.

„Na, auf diesen Schock hin ging ich gleich ins nahegelegene Donauzentrum auf einen großen Braunen. Dort versuchte ich dann, auch meine Aufgabe zu lösen“, berichtete Helene.

„Und wie ging es weiter?“, bohrte Erna fragend.

„Im zweiten Teil der Kurseinheit wurden halt alle Texte vorgelesen und die Kursleiterin hat jeden Beitrag kritisch analysiert. Mir sagte sie, mein Text, eine Geschichte über ein asiatisches Ehepaar mit zwei munteren, lästigen Kindern, sei keine Erzählung, sondern ein nüchterner Bericht, dem es an Dialogen und menschlichen Gefühlen mangle. Ich habe die Kritik akzeptiert, aber deutlich darauf hingewiesen, mein Text sei mein erster literarischer Schreibversuch überhaupt gewesen. Die beiden anwesenden Männer haben die Kritik noch schlechter verkraftet. Der eine hat fast wir ein Kind zu weinen begonnen, weil er für sein Bemühen und sein Produkt gelobt werden wollte. Der andere erblasste, stand auf und ist grußlos auf Nimmerwiedersehen verschwunden. Aber den restlichen vier Texten merkte man deutlich eine gewisse Qualität und Schreibroutine an“, schloss Helene ihren Bericht.

„Dann wird aus dir also keine erfolgreiche und bekannte Autorin mehr“, folgerte Erna.

„Liebe Erna, ich strebe in meinem Alter auch gar nicht mehr eine literarische Karriere an. Ich stelle mir Schreib- und Verhandlungsdruck durch Verlage als sehr schlimm und erniedrigend vor. Im Erfolgsfall sollte man auch noch zu Lesungen bereit sein. Man wäre dann auf Monate im Voraus terminlich gebunden und müsste dann sicher auch irgendwo in der Provinz zu Lesungen anreisen. Das stelle ich mir auf Dauer als zu belastend vor. Aufwand und Ertrag sollten in einer vernünftigen, zeitlichen und finanziellen Relation stehen. Zur Erlangung eines besonderen Bekanntheitsgrades bin ich nicht eitel genug. Ich muss nicht der Schnittlauch auf jeder Suppe sein“, entgegnete Helene.

„Liebe Helene, ich gratuliere dir zum rechtzeitigen Erkennen deiner Grenzen“, pflichtete Erna bei. „Also für mich wäre der Stress, den du sehr plastisch dargelegt hast, der absolute Horror.“

„Danke, ich wollte etwas dazulernen und bin um eine Erfahrung reicher. Jetzt versuche ich die Geschichte meiner Familie als Tagebuch zu verfassen. Es soll meinen Kindern und Enkelkindern helfen, das Leben ihrer Eltern und Großeltern besser zu verstehen. So entsteht etwas Sinnvolles und vielleicht auch ein Geschenk an die Jüngeren. Wäre das nicht auch eine interessante Aufgabe für dich?“, schloss Helene fragend.

„Das wäre mir zu mühsam. Aber für mich selbst wäre die Teilnahme an einem literarischen Salon vorstellbar.

Da könnte man über bestimmte vorgegebene Bücher Meinungen austauschen oder zumindest zuhören. Nur Literatursendungen mit Heinz Sichrovsky („Erlesen") im ORF und mit Thomas Rottenberg („LiteraTOUR") im Servus TV zu genießen, ist mir auf Dauer zu wenig. Aber derzeit reicht es mir völlig, in unserer Pfarre als Aushilfe bei der Betreuung von Migrantenkindern einzuspringen. Ich habe leider nicht mehr die Elastizität wie in früheren Jahren", erklärte Erna.

„Na, deine neue Tätigkeit ist doch ein sehr anerkennenswerter Beitrag gegen die soziale Kälte in unserer materialistischen Gegenwart", lobte Helene. „Ich glaube, uns beiden wird so schnell nicht fad werden. Bei unserem nächsten Treffen sollten wir uns über die Fortschritte unserer Enkelkinder unterhalten und Fotos mitbringen."

„Einverstanden", sagte Erna. „Wenn es dir recht ist, aber erst im Frühjahr. Denn ich würde gern wie eine Bärin Winterschlaf halten, um beim nächsten Treffen etwas schlanker zu sein."

„Hahaha, was du für Ideen immer hast. Ich bin einverstanden", antwortete Helene lachend.
Bei der Verabschiedung sagte Erna noch: „Helene, nasch nicht soviel, damit zu mir nicht zu ähnlich wirst!"

„Das kann ich dir nicht versprechen", kicherte Helene, „aber noch besteht eine kleine Gewichtsdifferenz zwischen uns beiden."

Diesmal übernahm Erna die Bezahlung der Rechnung. Dann brachte der ächzende Lift die starken Persönlichkeiten wieder wohlbehalten an die frische Luft.

Bellas Probleme

Gestern hatte man in Österreich noch spätsommerliche Temperaturen von bis zu 26^0 C gemessen. Während der Nacht war eine Schlechtwetterfront über das Land gezogen und hatte den Menschen herbstliche Morgenkälte von 5^0 C beschert. Seit den frühen Morgenstunden des 7. Oktober 2011 regnete es in Wien, und der kalte Wind, der das beißende Kältegefühl noch verstärkte, brachte einen Vorgeschmack auf den nahenden Winter.

So ein Sauwetter, und der Bus kommt nicht und nicht daher, dachte Bella und blickte auf ihre neben sich abgestellte, volle Einkaufstasche. Auch die ständige monotone Durchsage aus dem Lautsprecher der Wiener Verkehrsbetriebe, die Busse der Linie 26 A in beide Richtungen hätten verkehrsbedingte Verspätungen und man ersuche die wartenden Fahrgäste um deren Verständnis, konnten Bellas Stimmung nicht verbessern. Während der Ausbauphase der U-Bahnlinie 2 waren es halt „baustellenbedingte Verzögerungen der Intervalle des 26 A“ gewesen. An den Verspätungen hatte sich nichts geändert, nur die Begründung war ausgetauscht worden. Für wie dumm hielt man die ungeduldig Wartenden?

Ihr Gipsbein verursachte Bella ein äußerst unangenehmes Kältegefühl. Daran vermochte auch die über den rechten Vorfuß gezogene wollene Schutzabdeckung nichts zu ändern. Zwar hatte die Verlängerung der U 2 bis zur Haltestelle Aspernstraße eine wesentliche Verbesserung für Fahrten ins Zentrum und aus dem Zentrum gebracht. So war man jetzt in 16 Minuten am Schottenring und bei der Universität Wien sowie von dort in

Aspern. Doch der Zeitgewinn ging wieder verloren, wenn man lange auf den Anschlussbus warten musste. Und etwa alle 4 Minuten brachte eine weitere U-Bahngarnitur zusätzliche Fahrgäste, die ebenfalls den nächsten Bus in Richtung Essling und Groß-Enzersdorf benützen wollten. Von Montag bis Freitag wiederholte sich die gleiche Misere am späten Nachmittag. Am Abend waren die Intervalle noch länger. Trotzdem verkündeten die Wiener Verkehrsbetriebe in ihrem Kundenmagazin *24 Stunden für Wien* die stetige Verbesserung ihrer Dienstleistungen. Zwar dürfte die Tarifreform ab Mai 2012 unter anderem eine Verbilligung der Monatskarte bringen, aber an den Verspätungen und Intervallen würde sich vermutlich nichts ändern. Warum nur war der Unterschied zwischen Werbung und Realität oft so groß? Und mit einer Behinderung oder mit einem Kinderwagen konnte man sich doch nicht in einen vollen Bus zwängen.

Dennoch musste Bella lächeln, wenn sie an ihre Mutter dachte. Immer wieder hatte diese ihr einzutrichtern versucht, Männern und Straßenbahnen solle eine Frau nicht nachlaufen, denn die kämen immer wieder. Männern nachzulaufen wäre Bella niemals in den Sinn gekommen, denn dank ihres blendenden Aussehens mangelte es ihr nie an Verehrern. Aber der Straßenbahn oder einem Bus hatte sie schon öfters nachlaufen müssen, wenn sie wieder einmal das Weckersignal überhört oder die Morgentoilette zu lange gedauert hatte. Und gerade das war erst etwa 5 Wochen zuvor passiert. Damals waren ihr in der Hektik auf dem Weg zum Bus einige Kieselsteinchen, die sie bei einer zu raschen Körperdrehung trotz aller Sportlichkeit zum Ausrutschen gebracht hatten, zum Verhängnis geworden. Anstelle einer Fahrt mit dem Bus zur Arbeit, hatte ein Rettungswagen sie ins nahe Donauspital gebracht.

Aufgrund der Röntgenaufnahme war ein Bruch ihres rechten Wadenbeines diagnostiziert worden. Kopf hoch, das wird schon wieder werden, hatten der sie betreuende Arzt und die Krankenschwester beim Eingipsen des gebrochenen Beins aufmunternd gesagt. Aber die hatten gut reden, für die bin ich doch nur ein einfacher Routinefall, hatte Bella gedacht. Aber sie, die bisher ein Krankenhaus nur von Verwandtenbesuchen her kannte, war nun selbst zu einem Behandlungsfall und zur Patientin geworden. Plötzlich hatte ihr Selbstvertrauen, ihr Glaube an die Unzerstörbarkeit ihres Körpers und ihrer Jugend einen Knacks bekommen.

Einige Tage später war ihr während der ersten Gehversuche mit dem Gipsbein, an dessen Ende ein Gehstoppel herausragte, die störende Unbeholfenheit trotz der Krücken bewusst geworden. Und das Gleichgewicht machte ihr auch Probleme! Nicht auf dem glatten Tanzparkett, einem regennassen Asphalt oder auf einer im Winter vereisten Stelle war sie zu Fall gekommen. Nein, bei gutem Wetter auf dem trockenen Gehweg hatten Kieselsteinchen ihr Malheur ausgelöst. Noch schlimmer wäre ein Bruch des rechten Armes oder gar der rechten Hand gewesen. Dann hätte sie nicht einmal ihre Tätigkeit als Sekretärin ausüben können. Und Kündigungen wurden in wirtschaftlich schlechten Zeiten bekanntlich schon wegen der geringsten Anlässe ausgesprochen. Deshalb würde sie es bald wieder im Büro versuchen. Schmerztabletten würden ihr schon irgendwie helfen, hatte Bella für sich beschlossen und bald danach begonnen, trotz der Behinderung wieder regelmäßig an ihrer Arbeitsstätte zu erscheinen.

Am Heimweg hatte sie in einer Hofer-Filiale Milch, Brot, Wurst und Obst eingekauft. Während sie das Einkaufswagerl geschoben und sich gleichzeitig daran festgehalten hatte, war ihr Erstaunliches aufgefallen. Schokolade-Krampusse und -Nikolos, aber auch Pralinen-Adventskalender, glitzernder Baumbehang und Geschenkpapier für Weihnachten wurden bereits in den Regalen zum Kauf angeboten. Wie schnell doch die Zeit verging! Kurz nach Weihnachten würden sie wohl schon die Ostersachen wieder feilbieten! Und wieder war dann ein Jährchen vorbei.

Während ihrer Einkaufsrunde war sie unfreiwillig Zeuge eines komischen Gesprächs geworden. Oma, hatte ein etwa achtjähriger Bub gesagt, du musst nur die Bankomatkarte an der Kasse in den Automatenschlitz stecken, dann ist alles bezahlt. Bitte, kauf mir doch endlich das Nitendo-Spiel, das ich dir schon mehrmals gezeigt habe! Und zu Weihnachten wünsche ich mir von dir Eislaufschuhe, wie ich sie bei Eishockeyspielern gesehen habe. Das geht so nicht weiter, hatte seine Oma geantwortet, mein Konto ist schon schwer überzogen und das Christkind ist auch arm, da es viele Wünsche erfüllen soll. Aber alle Menschen überziehen ihr Konto, sogar meine Eltern. Und es gibt doch gar kein Christkind, hatte der Knirps altklug eingewendet und damit die arme Oma in Verlegenheit und zum Verstummen gebracht.

Na, der Kleine ist ja für sein Alter ganz schön frech und materialistisch. Dem sollte bald einmal kindgerecht erklärt werden, dass niemand auf Dauer folgenlos Schulden machen kann, war Bella durch den Kopf gegangen. Sie erinnerte sich an die Zeit zurück, als sie selbst noch Briefe ans Christkind geschrieben hatte. Damals hatten ihre Eltern gesagt, die Blauen wachsen nicht auf dem Zwetschkenbaum, und damit die 1.000 Schilling-Banknoten gemeint. Man hatte ihr nur wenige Wünsche erfüllen können. Jetzt wäre ich schon glücklich und zufrieden, würde mein Bruch problemlos heilen und würden mich die rücksichtslosen Leute beim Einsteigen in die Öffis nicht umstoßen, dachte Bella sorgenvoll.

Nun stand sie an der Haltestelle Aspernstraße und wartete ungeduldig. Ihr Magen knurrte. Ein paar heiße Maroni wären jetzt gegen die Kälte hilfreich. Diese Haltestelle wäre ein lukrativer Standplatz für einen Maronibrater, überlegte Bella. Erst in den dritten Bus konnte sie problemlos einsteigen und nach Hause fahren. Langsam begann sie zu begreifen, wie mühsam das tägliche Leben für Menschen mit einer lebenslangen Behinderung sein musste und wie viel Geduld von diesen erwartet wurde.

Schon wieder eine Störung

Das schrille Läuten der Türglocke riss den Pensionisten aus dem Schlaf. Scheibenkleister, dachte er, wer will mich denn schon wieder quälen, vielleicht mein Neffe? Ich bin doch erst kurz nach Mitternacht zu Bett gegangen, acht Stunden Schlaf stehen doch allen rechtschaffenen Menschen zu. Ein Blick auf seine Armbanduhr sagte ihm, dass es kurz nach 7 Uhr war.

Er verließ sein Bett und schlurfte in den Flur. Dort drehte er den Schlüssel der Haustür um, öffnete diese und steckte seinen Kopf hinaus. Nicht sein Neffe, sondern drei ihm unbekannte, jüngere Männer warteten auf der Straße vor seinem Gartentor.

„Sie wünschen?“, fragte er noch etwas verschlafen.

„Wir kommen, um Ihre Fenster zu putzen“, sagte der Wortführer in der Mitte des Trios.

„Ich habe keinerlei Auftrag an irgendeine Firma erteilt. Meine Fenster putzt höchstens der Regen“, entgegnete der Pensionist verärgert über die frühe Störung.

„Aber wir haben eine entsprechende Reinigungsorder der Firma Strabag für die Anschrift Frau Christine Moro, 1220 Wien, Peuckerstr. 50“, beharrte der Anführer.

„Das muss ein Irrtum sein. Ich kenne Moro-Orangen aus Spanien. Auch Aldo Moro ist mir ein Begriff. Das war einer der ehemaligen italienischen Ministerpräsidenten, der von den Roten Brigaden entführt und erschossen wurde. Simone Moro, den italienischen Extrembergsteiger, kennen vielleicht sogar Sie. Aber eine Frau Christine Moro kenne ich nicht, obwohl ich hier schon fast fünfundzwanzig Jahre wohne. Die käme nicht einmal auf Besuch zu mir. Meine Freiheit und Ruhe sind mir sehr viel wert. Aber angeblich gibt es in Wien noch eine Peuckerstraße, doch soll diese im 23. Bezirk sein. Vielleicht probieren Sie es dort einmal“, erklärte der Alte mit fester Stimme.

„Aber wir haben doch einen Auftragsschein für 1220 Wien, Peuckerstr. 50. Wenn Sie sich, bitte, selbst davon überzeugen möchten“, bat der Sprecher des Trios, infolge der schrulligen Äußerungen des Alten schon leicht verzweifelt.

Der Pensionist, der noch im Pyjama steckte, ging zum Gartentor und konnte trotz fehlender Brille seine Anschrift auf dem Auftragspapier lesen. Tatsächlich stand auch ein Nutzfahrzeug der Firma Strabag in der Nähe seiner Garteneinfriedung. Na, wenigstens sind die drei Männer keine Einbrecher oder Trickbetrüger, welche die Lage auskundschaften wollen, dachte der Senior. Laut sagte er einlenkend: „Ich bedaure, ich kann Ihnen leider nicht helfen. Ihr Auftragsschein muss einen Schreibfehler aufweisen. Unter meiner Adresse wohnt keine Frau Moro!“

Der Wortführer versuchte, sich über sein Handy Klarheit bezüglich des richtigen Standortes der zu reinigenden Fenster zu verschaffen. Danach verabschiedeten sich die Männer, und der Pensionist suchte erleichtert wieder sein Bett auf.

Gegen Mittag verließ er sein Haus, um in einem Restaurant an der Esslinger Hauptstraße zu essen und die Neuigkeiten aus den Tageszeitungen zu entnehmen. Als er wieder nach Hause zurückkehrte, bemerkte er Nachbarn, die gerade mit dem Einschlichten einer Fuhre Holz in den Keller beschäftigt waren. Er ging zu deren Gartenzaun, grüßte freundlich und fragte: „Meine lieben Nachbarn, entschuldigen Sie bitte die Störung, aber kennen Sie vielleicht in der näheren Umgebung eine Dame namens Christine Moro?“

Als er mit seiner detailgetreuen Erzählung seines morgendlichen Erlebnisses fertig war, antwortete seine Nachbarin belustigt: „Na, Sie haben nach dem Klingeln sicher vermutet, dass ich mir schon wieder ihre Biotonne ausborgen wollte? Und die Frau Moro kennen Sie auch. Die wohnt doch im dritten Haus auf der rechten Seite von Ihnen aus gesehen. Was sich manche Leute heutzutage schon für einen Luxus leisten!“

„Vielleicht war der Auftrag an die Firma Strabag für das Fensterputzen nur ein einmaliges Geburtstagsgeschenk des Göttergatten der Frau Moro“, vermutete der Pensionist überrascht. „Natürlich kenne ich diese Familie vom Sehen her. Aber deren Name war mir völlig unbekannt. Ich bin in der näheren Umgebung nur über die Namen der Leute informiert, die ungefähr zeitgleich wie wir Haus gebaut haben. Im Übrigen weiß ich über die Namen der meisten Familien, die später zugezogen sind, nicht Bescheid. Verzeihen Sie, aber ich bin ja nicht vom Meldeamt oder der Polizei. Ich bin schon mit meiner Selbstverwaltung ausgelastet. Für die Auskunft danke ich Ihnen herzlich und wünsche Ihnen noch einen schönen Tag trotz der mühsamen Arbeit.“ Dann betrat er seinen Garten und verschwand hinter seiner Haustür.

Etwa vierzehn Tage später fand er in seinem Postkasten einen Brief der Firma Strabag, adressiert an Frau Christine Moro, Peuckerstr. 50. Dies bestätigte ihm den vermuteten Schreibfehler. Nolens volens betätigte sich der Pensionist wieder einmal als Ersatzzusteller und warf den fehladressierten Brief in den entsprechenden Behälter mit der Hausnummer Peuckerstr. 56.

Apothekengespräche

Meistens hatte der Pensionist seine heilige Ruhe. Aber an manchen Tagen klingelte sein Telefonapparat öfter, als ihm lieb war. Hin und wieder verwählte sich ein/e Anrufer/in und erwischte seine Nummer. Da diese eine Geheimnummer war, waren solche Telefonate mit größter Vorsicht zu genießen. Dann war der Quälgeist irritiert, wenn der Pensionist sich mit „Wer stört?“ meldete, und legte oft humorlos auf. Zumeist waren die Anrufer jedoch Bekannte, die sich zu einem Plauscherl melden wollten. Oft hatte er den Eindruck, die Anruferschar hätte sich scherzeshalber zu einer kumulierten Störung gegen ihn verschworen.

So hatte er an diesem Tag schon fünf Anrufe und ausführliche Gespräche zu verschiedensten Themen gehabt. Jetzt aber hatte die Türglocke geschrillt. Als er die Haustür öffnete, sah er vor dem Gartentor einen kleineren, ihm unbekannten Mann, der in gebrochenem Deutsch sagte: „Bitte übernehmen Paket für Nachbarn.“

Da seitlich vom Tor ein Lieferauto des Zustelldienstes *dbd* geparkt war, übernahm der Pensionist das kleine Paket, das ihm der bemühte Zusteller über den Zaun reichte. Die Übernahme des Pakets, auf welchem der Name seines rechten Anrainers stand, war von der Hoffnung begleitet, sein Nachbar habe keine Paketbombe erhalten. Der Zusteller bedankte sich und war sichtlich froh, wieder eine Last losgeworden zu sein und sich weitere Schreibarbeit erspart zu haben.

Gegen 18 Uhr sah der Pensionist Lichtschimmer aus dem abgedunkelten Wohnzimmerfenster des Nebenhauses. Wenig später drückte er die Klingeltaste an der nachbarlichen Garteneinfriedung. Als ein Männerkopf bei der geöffneten Haustür herausschaute, sagte er: „Trara, die Post ist da ohne Regie für Sie."

Der Nachbar eilte herbei und strahlte: „Danke für Ihre Hilfe. Endlich ist das Paket mit den Ersatzteilen da, auf die ich schon sehnsüchtig gewartet hatte. Sie haben mir einen Weg in die Apotheke erspart."

Der Pensionist verstand sofort, dass damit nur die Raphael Donner-Apotheke in der Esslinger Hauptstraße gemeint sein konnte, da diese seit kurzem als Postpartner auch zur Aufgabe und Abholung diverser Poststücke berechtigt war. „Ich gehe ja auch lieber dorthin", antwortete der Senior, „denn dort sind die Damen viel hübscher, freundlicher und humorvoller als das Personal des nahegelegenen Postamts. Zusätzlich vergesse ich dann nicht, meine benötigten Tabletten und Injektionen mitzunehmen. Überdies kann man gleich als medizinischer Notfall fachkundig betreut werden, wenn man unangenehme Fanpost etwa vom Finanzamt oder von der Verwandtschaft übernehmen muss. Beispielsweise verursachen mir Briefe meiner Schwester dank deren Ratschläge zu allen Lebensbereichen meist Herzrasen und Bluthochdruck."

Sein Nachbar lachte und entgegnete: „Na, so schlimm ist es bei mir noch nicht. Doch ich hole mir dort Eisenbahnmodelle ab, die ich als meine Medizin bezeichne und über das Internet bestelle. Aber im Ernst, mit der Zustellung wird es immer schlechter. Jede Woche finde ich in meinem Briefkasten fremde Post vor, die ich dann in der näheren Umgebung, wie etwa der Cankarstraße, in die richtigen Postkästen einwerfe. Und letzthin habe ich sogar einen Abholschein vorgefunden, aber in der Apotheke kein Paket bekommen, weil es der Zusteller irgendeinem unzuverlässigen Nachbarn in der Umgebung anvertraut haben soll.“

„Ach, da sind Sie kein Einzelfall“, antwortete der Alte besänftigend, „auch in meinem Briefkasten landen oft Poststücke mit meiner Hausnummer, aber für völlig andere Adressaten in den umliegenden Straßen. Das hängt mit den Einsparungsmaßnahmen der Post und dem wechselnden Zustellpersonal, das noch dazu mit dem steigenden Briefaufkommen und Werbematerial pro Zusteller/in überfordert ist, zusammen. Vor Weihnachten wird es vermutlich – trotz des Werbeslogans '*wenn's wirklich wichtig ist, dann lieber mit der Post*' – besonders schlimm werden. Hoffentlich kommt die neue, billigere Jahreskarte der Wiener Verkehrsbetriebe überhaupt bei mir an.“

„Man sollte nicht immer gleich mit dem Schlimmsten rechnen“, meinte der Nachbar. „Ihnen als Pensionisten geht es vermutlich zeitlich wesentlich besser als vorher.“

„Richtig“, antworte der Angesprochene, „ich habe es nicht mehr so eilig und lasse mir mehr Zeit. Aber nicht alle Pensionisten sind wie ich. Unlängst war ich in der Asperner Apotheke, da ich in dieser Gegend Bekannte besucht hatte und noch Salbei benötigte. Es war kurz vor Ladenschluss, als noch einige Personen das Lokal betraten. Darunter ein älterer Mann, dem die drei Reihen der Wartenden sehr missfallen haben dürften.

Plötzlich sagte er laut vernehmbar: ‚Heute sind fast nur Frauen da, die wahrscheinlich alle noch Beratung, Schönheitscremen und Gesichtsmasken brauchen. Dabei steigern solche Käufe nur die Umsätze der Industrie, der Schönheitschirurgen und der Apotheker. Und an die Qualen der Versuchstiere, die man möglicherweise für die Entwicklung mancher dieser Cremen benötigt, will ich erst gar nicht denken. Was sich die Frauen alles einbilden und einreden lassen, geht auf keine Kuhhaut mehr und grenzt fast an Betrug. Ich denke dabei beispielsweise an das Produkt, dessen Einnahme laut Werbung Blähbäuche verhindern oder reduzieren soll. Und auch die Anwendung der sogenannten Antiaging-Cremen nützt überhaupt nichts, da sich die Falten fast ungebremst entfalten sowie früher oder später trotzdem länger und tiefer werden. Wichtig scheint nur zu sein, das schlechte Gewissen und die Eitelkeit der Opfer zu befriedigen. Wahre Schönheit und Selbstvertrauen kommen von innen her!'

‚Na so eine Frechheit', sagte eine jüngere Frau, die mit einem Kleinkind an der Hand in der Nebenreihe stand, entrüstet. 'Sie sollten sich so dumme Reden in ihrem Alter sparen. Sie hätten schon längst in einen Kosmetiksalon gehen sollen, so grauslich, wie Sie ausschauen und reden.'

'Das lehne ich ab', sagte der Mann. 'An meinen Körper lasse ich nur die Hirsch Zitronella heran. Das ist eine reine milde Hand- und Körperseife auch für sehr empfindliche Haut und vor allem wesentlich billiger als sämtliche Tages- und Nachtcremen und Lotionen, die so fürchterlich penetrant stinken. Und zu Ihrer Kritik verweise ich nur auf Friedrich Torbergs Buch *Die Tante Jolesch oder der Untergang des Abendlandes in Anekdoten,* aber die werden Sie vermutlich nicht kennen, weil Sie dafür zu jung sind. Tante Jolesch sagte nämlich sinngemäß: *alles, was ein Mann schöner als ein Affe ist, sei ein Luxus.*'

Da haben einige Anwesende schallend gelacht – Sie wissen eh, das goldene Wiener Herz und der Wiener Humor – und die junge Frau war kurzfristig schmähstad. Aber dann ätzte sie: ‚Lieber Herr, Sie haben dieses Luxusproblem sicher nicht. Doch vermutlich brauchen Sie schon Viagra.'

Da hat der Kritisierte gelacht und grinsend gesagt: ‚Nein, dieses Potenzmittel brauche ich noch nicht. Das kann Ihnen – wenn Sie Wert darauf legen – sogar meine Freundin unter Eid bestätigen. Dafür benötige ich aber Tabletten gegen die Vergesslichkeit, weil ich oft vom Wirtshaus nicht nach Hause finde.'

Darauf die junge Frau bösartig: 'Lieber Herr, Sie sollten weniger Alkohol trinken, dann werden Sie auch Tabletten gegen Vergesslichkeit nicht brauchen.'

Der Mann parierte die Attacke und entgegnete: 'Aber, Gnädigste, auch Sie könnten sich viel Geld ersparen, da Sie Masken und Schönheitscremen gar nicht notwendig haben. Sie sind ja fast faltenlos und bildhübsch. Die paar Fältchen um Ihre schönen Augen, die jetzt sogar wie Rubine funkeln, können höchstens von Ihrem bezaubernden Lächeln verursacht sein. Und ich glaube auch nicht, dass Ihr Mann mit den Schönheitscremen überhaupt Freude hat, wenn er Sie küssen will. Das Fett und der Geruch von den Cremen werden ihn doch eher abschrecken als anlocken.'

Dem Blick der Dame war Unsicherheit zu entnehmen, da sie nicht wusste, ob der Mann ihr ein Kompliment machen oder sie nur auf den Arm nehmen hatte wollen. Doch dann musste sogar die Kritikerin lachen, als sie sagte: 'Bei Ihnen sind Hopfen und Malz verloren. Ihre Freundin ist nicht zu beneiden' “, schloss der Pensionist seine Ausführungen.

„Na, Sie erleben aber schon sehr lustige Sachen. Ich vermute jedoch eher Sie hinter dem ungeduldigen Mann in der Erzählung“, sagte der junge Nachbar, dessen Bauch vor Lachen zu hüpfen schien. „Diese Geschichte muss ich gleich meiner Frau zwecks Aufheiterung erzählen. Die Arme hat heute einen besonders schweren Arbeitstag hinter sich. Und Ihnen wünsche ich noch einen schönen Abend."

„Danke, gleichfalls und gute Nacht! Ich sage immer nur die reine Wahrheit, nichts als die Wahrheit", entgegnete der Pensionist augenzwinkernd und verschwand in seinem Schneckenhäuschen.

Inhalt

Literaten und andere Künstler

Erzählungen

Die in diesem Band enthaltenen Texte entstanden ab 2004 und haben überwiegend retrospektiven Charakter.

Druck:
digitaldruck.at
Aredstr. 7
A-2544 Leobersdorf
www.digitaldruck.at

AUTORENVERLAG
GERBGRUBEN
KVNB – NLC
HAUPTPLATZ 50 7100 NEUSIEDL AM SEE
TEL.: 0043 (0) 664 /23 11 454
nick.titz @gerbgruben.at
www.gerbgruben.at

ISBN 978 -3- 902119- 23-6